EVOLUTION OF LOVE EQUALITY

ジェンダーの生物学

進化が同性愛を用意した

坂口菊恵
Kikue Sakaguchi

創元社

この本を、今は亡き、人の親族と多くの友人に捧ぐ

はじめに――「ジェンダー」を生物学に取り込む

わたしはもともと進化心理学の立場から、ヒトの性行動の個人差や、性ホルモンのはたらきについて研究していた。

進化心理学では、**ヒトの生物としての普遍的な特徴を、進化の産物としてとらえる。**人間の文化も、環境に応じた進化適応の産物とみなすのが身上である。あらゆる点において、生物にとっての共通通貨――それぞれの遺伝子がどれだけ効率よく自己を拡散させられるか――をもとに仮説を組み立てようとする。

ところが、性的マイノリティの存在は、**遺伝子が自らを効率よく拡散させるために個体の行動を操作するはず、という前提に反するように見えるパラドックス**だった。同性愛者は自らの子孫を残すのには不利であるにもかかわらず、その出現は遺伝的な影響を受けていると考えられたからである。

実は、生物学寄りの研究者たちは、もともとヒトを含む生物の性が多様であることを知っており、自ら子孫を残さない同性愛の性的指向がなぜ集団に存続するか説明しようと、知恵を絞ってきた。しかし、いずれもそれほど説得力があるものとは言えなかった。

だが、**ヒト以外の生物でも同性間の性行動がひろく見られる**ことが認識されるに従い、生物の性行動は異性間で、直接的に生殖をめざして行われるはず、という前提が崩れつつある。**多くの生物はもともとは両性愛であり、同性との性行動が特にコストである種において、同性間性行動への忌避が進化したのではない**か、というモデルも出されている。

ヒトの性行動に関しても、現代の生物学の基礎が欧米で確立してきた時期の一般社会の認識にもとづく「異性愛が普通で正常である」という前提を取り去るならば、同性間で性行動をとる人間はマイノリティでもなんでもなかったことに気づく。「普通」とされる性行動のあり方は、生物学的な性ではなくて、社会的な性役割によって規定されていたのである。

すなわち、典型的な性行動を規定するものは、「生物学的」な性別ではなく、その社会におけるジェンダー・ロール（性役割）だった。

生物学の議論から、かなり離れてきてしまったように感じられるだろうか？

実は、ヒト以外の生物でも、性別のパターンは2つにハッキリと分けられるものであるとは限らず、生殖腺の性と、外見あるいは行動の性別の区分が一致しない個体が存在する。すなわち、一つの種の同じ性別内に、ジェンダー・ロールが異なる個体を擁する生物が存在するのだ。

そして、主に異性のみと性行動を取るか、あるいは両性と行うか、という行動パターンは、ジェンダー・ロールによって決まっている。

もちろん、わたしとしては、すべての多様性を文化や学習の違いで説明してしまおうとしているわけではない。

そうではなくて、**「ジェンダー」という概念を生物学の枠組みに取り込む**ことによって、個体の発達と生物学的な素因や進化適応との関係を、より精緻に明らかにすることができるのではないか、という提案である。

生物学の分野でも、歴史学においても、最近までわたしたちが当然と思い込んできた性の二分法が、普遍的なものとは言えないことを示す発見が相次いでいる。

分野横断的な俯瞰によって、従来考えられていたような「雌雄の差異の実在」を議論の前提とする本質主義的なロジックが崩れ、新たな共通理解へとアップデートされていく眺望のはじまりを、お楽しみいただけると幸いである。

坂口菊恵

Contents

※【】内の数字は巻末の引用文献一覧に対応している。また、【】内に「註」とある場合の数字は、註釈に対応している。

Part1
同性愛でいっぱいの地球

地球には、同性愛があふれている。

同性愛は、非常にありふれた現象だ。後で書くように「自然」という概念には非常に注意が必要だが、仮に「自然界に広く見られる＝自然」とするならば、同性愛はものすごく自然である、ということになる。

霊長類のボノボで同性間性行動が盛んであり【1】、コミュニケーションの重要なツールとなっていることはよく知られている。同じように、同性間性行動を生活上必須の営為としている動物として、イルカも有名である。

ニホンザル【2】でもゴリラ【3】でも同性愛は見られる。それだけではなく、ライオンにも、カモメにも、ゾウにも、バイソン【4】にも、イエネコ【2】にも、シカにも、トンボ【5】にも、カニにも、イカ、線虫【註1】にも……同性間性行動は観察されている。**エピソード的な報告も含めるならば、1500もの種で同性間性行動が観察されている**【6】。有名どころの生物学の学術雑誌でも、同性間性行動を特殊例ではなく、生物の一般的な多様性のあらわれとして検討する論文が増えつつある【5-7】。

要するに同性愛は、動物園から土の中、さらには鮨屋のネタに至るまで、広く観察されているということになる。自然界には同性愛があふれている。

自然界の同性愛者たち

ボノボはチンパンジーと並んで、ヒトにもっとも近縁な大型類人猿である。チンパンジーより少しほっそりとした体形をしており、しばしば二足歩行を見せる。

そんなボノボは、オスもメスも、異性間のみならず、同性間でも頻繁に性行動を行う【3】。特にメスでは、性行為の過半数が同性間のものである。すなわち、ボノボのメスは、オスよりもメスと交尾する機会の方が多いということになる。

そういう動物はボノボだけではない。イルカやゾウ、キリン、シカ、セイウチでも、同性間での性行動は異性間でのそれと同じくらい、あるいはそれ以上に盛んだったりする【4】。

これは、哺乳類の社会構造やライフサイクルを考えるならば、むしろ当たり前のことである。オスとメスは、一緒の群れで過ごしていない時期の方が多いからだ【8】。特に

*1 線虫は1種類の生物をあらわす言葉ではなく、線形動物という生き物のグループを指す名称である。実験動物として用いられる *C. elegans* は土の中で細菌を食べて生きている、体長1ミリほどの生き物である。線虫は2つの性を持つが、オスとメスではなく、オスと雌雄同体との2種がある。

図1　オオツノヒツジのオスの群れ。典型的なオス同士は同性間性行動を頻繁に行うが、メスに似た個体は行わない【14】

オスでは、メスとの交尾の機会がほとんどやってこない個体も少なくない。

哺乳類のオス同士は常に戦っているイメージがあるかもしれないが、そうとは限らない。オスだけの群れで過ごしていて、互いに性行動を行うことがあり（図1）、しかもそれは順位付けのために行われているとは限らない。

メスは、繁殖期には同性間の性行動にも積極的である。メス同士のマウントも見られる。すなわち、オスが交尾の時にメスに対してするように、腰の上に乗りかかる。メスからオスに対するマウントも見られる。さらには、**マスターベーションや、妊娠期の性行動など、繁殖に直接結びつかない性行動を見せる動物もいる。**

鳥の同性カップルは子育てもする

交尾の時しか一緒にいない傾向の強い哺乳類とは対照的に、鳥の同性愛者たちは、よ

図1　U.S. Government.
https://www.rawpixel.com/image/4038312/photo-image-plant-bird-nature

り包括的な生活共同体を形成する。社会生活がペア単位だからである。

哺乳類では一夫一妻の種は少数派で3～9%にすぎないが、鳥類では9割にのぼる。中でもペンギンやカモメといった海鳥では、繰り返し同じ個体とペアになるものが多い【9】。

大型の鳥では子育てが大変で、ヒナを育て上げるためには、気心の知れたパートナーと、毎年つがいを作ることが有利であると考えられる。結果、カップルの結びつきは強くなる傾向がある。そのため、同性同士のペアも長期間にわたり、十数年に及ぶ関係もいくつか報告されている。

同性カップルの子育てについてはペンギンがよく知られ、『タンタンタンゴはパパふたり【10】』という絵本にもなっている。この絵本はオス同士のカップルの子育てを描いたものだが、完全な創作ではなく、アメリカはニューヨークのセントラルパーク動物園で観察された同性カップルの子育てをもとにしたものだ。この本は同性愛者であることをカミングアウトして政治活動を続けている草分けである、尾辻かな子氏によって共訳されたものであり、国内でも読み継がれている。

同性の長期的なカップルや同性同士による子育ては、自然界のカモメやアホウドリで多く見られる。また、マガモやオシドリ、フラミンゴも、半飼育下において長期にわたる同性ペアを作り、子育てを行うものもいる。

もちろん同性カップルだけでは卵は産めないから、よそから盗んできたり、代わりに石ころをあたためたり、メス同士のカップルだと、その時だけパッとオスと交尾して卵を産み、その後元のパートナーと子育てにいそしんだりする例が観察されている。

これらの鳥たちではメス1羽に対してオス2羽、のような3羽世帯もしばしば見られる。例えば、オス2羽のカップルに、メス1羽が参加しているハイイロガンである。これだと同性同士でも子どもを作りやすい。

ハイイロガンの3羽世帯のケースでは、オスの1羽が途中でいなくなっても、残された雌雄がカップルになるわけではなかった。そのためこの場合は、家族の中心は同性カップルであったことが分かる【11】。

揺らぐダーウィニズム？

だが、今まで学んできた生物学の知見と照らし合わせて、ここまでの記述に違和感を覚える人もいるかもしれない。

現代生物学は、チャールズ・ロバート・ダーウィン（1809～1882）が唱えた「自然淘汰」と「性淘汰」という考えの上に成り立っている。**人間を含む動物たちの姿かたちや行動は自然淘汰の結果である**。

進化の原動力は、姿かたちや行動といった、遺伝子が作る生物の特徴のあらわれである「表現型」の個体差である。同じ種の個体の中でも、持っている遺伝子や表現型には個体差があるのだ【12】。

それぞれの遺伝子は、個体が置かれた環境で生き残りやすい表現型を発現させることができれば、自らも生き残ることができる。

ダーウィンフィンチという鳥のくちばしを考えてみよう。大きく硬い種を割るのに適した太く短いくちばしを作る遺伝子は、干ばつなどの影響で柔らかい種子が手に入りにくい年には、集団の中で生き残りやすく、比率を増やすことができる【13】。これが自然淘汰である。

さらに、雌雄の分かれた生物では、遺伝子を拡散する上でもう一つ大きなハードルを越えないといけない。うまく異性を見つけて生殖に持ち込まないと、遺伝子を後世に伝えることはできないのである。

そこで、**交尾相手を獲得したり、交尾相手として選ばれたりするための形質が進化することを、性淘汰という**。

進化生物学の言葉では、個体の「適応度（fitness）」は生涯に産んだ、生き残ることのできた子の数であらわされる。要するに、遺伝子にとって、自らを運ぶ生物が自分を複製しやすいように導くことは至上命令である。**このような、遺伝子の拡散効率を起点として、生物の特徴に及ぼす影響を検討することを「適応論」という。**

この観点からは、同性間の性行動は貴重な繁殖機会を浪費しているように見える。**同性間性行動は、遺伝子にとって無駄な営為ではないのだろうか？**

同性間性行動と「性的指向」としての同性愛

最初にことわっておかなければならない点がある。動物行動学では通常、「同性愛」という表現はしない点だ。なぜなら、同性間性行動を見せる生物のほとんどは**実質は両性愛**であり、時期やタイミングによって同性との性行動が現れる、というケースが大半だからだ。ただし、中には主に同性に対してのみ、求愛や交尾のような行動を見せる者もいる。

これに対して、ヒトにおける現在の用語としての「同性愛」には、異性と性行動をしないということが含意されている。そのため、純粋な同性愛の個体は、子を通じて直接自らの遺伝子を残すことはできない。

　進化適応論が正しく、かつ同性愛行動を導く遺伝子が存在するならば、その遺伝子は集団内から減っていき、したがって同性愛の個体も減っていきそうではある。また、同性間性行動も、貴重な生殖資源やエネルギーを生殖に直結しない行動に振り向けるわけだから、そうした行動を導く遺伝子は集団から淘汰されていくと予想される。

　ところが、実のところ地球は同性間性行動であふれている。

　動物の間で同性間性行動がどんどん見つかっており、またヒトのどのような集団でも一定程度は同性愛者が存在するという事実は、進化理論の根幹を揺るがす事件に見える。そのほんの一部を、駆け足で見ていこう。

ボノボはけっこうアマゾネス

　中部アフリカはコンゴ川の屈曲部、内側の熱帯雨林の部分に生息するボノボは、チンパンジーと近縁だが異なる種で、古い文献ではピグミー・チンパンジーとも書かれている。エチオピアで発見された、「華奢型猿人」と呼ばれる人類の祖先種の一つである、アウストラロピテクス・アファレンシスとよく似ていると考えられている。

体格的にほとんど変わらないチンパンジーとボノボとの間で、社会形態の違いがどのように生じるのか、さまざまな議論が行われてきた。両者は、複数のオスと、複数のメスが離合集散して生活する社会形態をとる。そしていずれも乱婚であり、メスは群れの中のすべてのオスと交尾をする。オスも、可能な限りのメスと交尾をする。チンパンジーの乱婚は、しばしば子殺しをするオスに対し、いずれのオスに対しても親である可能性を持たせて、子への危害を抑えるためだと思われてきた。

チンパンジーのオスは暴力性が高いが、ボノボははるかに平和主義的であり、あからさまな暴力は少ないと考えられてきた。2つの群れが出会い、緊張が高まったとする。チンパンジーであれば流血の大惨事となるところだが、ボノボの場合は互いに性行動を行うことで、暴力を回避する。だから、握手やハグの代わりに、性行動を用いる動物として有名になった。

ボノボは、オスもメスも同性間の性行動に熱心だ。特にメスはホカホカといって、対面で抱き合って性器をこすり付け合う行動を頻繁に行い、相手のいる性行動の55%【2】は同性とのものである。こすり付け合いを英語ではG-G rubbingという。Gとは生殖器のことである。

そしてボノボでは、性行動をコミュニケーションに用いるために、メスの生理や性器の形態に変化が生じている。生殖に直接かかわりのない性行動を取りやすいよう変化しているのである。

ボノボは性周期、すなわち生理と生理との間隔が長く、平均45日である。性周期の75％では外性器がふくれている。外陰部が大きく赤くふくれて巨大なザブトンを性器にぶらさげたようになるが、これは性行動に参加する用意がありますよ、という周囲へのアピールである。ボノボでは出産1年後、つまりボノボにとってはまだまだ妊娠できない時期に外性器がふくれ始める。チンパンジーのメスの外性器がふくれているのは、大人として過ごす年月の5％に過ぎないが、ボノボでは50％に達する【1，15】。

そして、多くの哺乳類のメスでは、クリトリスは膣の入り口の内側に向けて飛び出しており、交尾の際に刺激を受けやすいようになっている。だが、ボノボでは外側に大きく飛び出していて、ホカホカで快感を得られやすくなっている。オスとの交尾よりもメス同士での同性愛の方が、進化的に重要だったようだ。なお、クリトリスが外側を向いているのはヒトも同じである【16】。

ボノボのメスはオスよりも小柄であり、そこはチンパンジーと大きく変わるわけではない。だからメスからするとオスによる暴力のリスクがあるのだが、メス同士が性的な結びつきをベースに強固な協力関係を構築し、オスの暴力を抑え込んでいるらしい。

ちなみに最近、ボノボの社会は単に平和的であるというよりも、メスの方が攻撃性が高いらしいことが分かってきた。動物園の群れ内での傷害事件が起こったときに、犯人を調べるとたいていメスがオスを襲っているようだ。ボノボのオスはかなりのお母さんっ子で、大きくなってもママの権威と庇護を当てにして暮らしている【17, 18】。母親に守られていないオスは、他のメスからの攻撃の餌食になってしまう。

イルカ――若衆宿と、義兄弟の契り

知能が高く、かつ乱婚である動物の代表格として、水中の仲間も忘れてはいけない。日本近海でも見られるバンドウイルカは、性行動の特性を含め研究が進んでいる。メスは子どもを含めて群れを作っている。母子で、集団から分かれて活動しているものもいる。他に、若オスのみのグループや、大人のオス同士のペアがいる。

書いたように、哺乳類では一夫一妻の配偶システムをとる種は3〜9%しかない。すなわち、雌雄が常時一緒にいる生物は少ないのである。

バインドウイルカのオスは、若者のうちはオスだけのグループを作って、互いに性的なかかわりを持つ。ヒト社会において、南太平洋の島しょ部の伝統社会で見られた「若衆宿」のようなものである。

10歳になると、オスは同性の相方を見つけて昼夜行動を共にするようになる。その際には、性的接触を含む愛情表現も見られる。ヒレや口吻を使って互いの生殖器を愛撫したり、マウントしたり、ペニスを互いにこすり合わせたり、ペニスを相手の生殖孔に挿入したりすることもある。生殖孔とは、普段ペニスをしまってあるところである。イルカでは、肛門性交は稀である。

バンドウイルカのオスがはじめてメスと交尾の機会を持つのは、性的に成熟してからだいぶ後、20〜25歳になる頃である。それまでは、性行動の機会は、おおむね同性との関係に限られる。その後も、各繁殖シーズンでメスと交尾の機会のあるオスは半数にも満たない。優位な2〜3のオスが、メスとの交尾をほとんど独占してしまうからである。

広い海の中でオスが生き抜くには、相棒がいた方が心強い。独り者の大人のオスは、ほぼ異性愛者として生きる。しかし、その方が生存率と生涯繁殖成功度が上がるかどうかは心もとない。

バンドウイルカのメスも、オスに劣らず同性間の性行動を愉しむ。グループで互いに刺激し合い、性行動を行うこともある。水中の動物ならではの前戯として、強いパルス状の音波を発して、相手の性器のあたりに当てるという技もある。

そして雌雄ともに、いろいろな道具を使ってマスターベーションをすることが知られている。飼育下のメスでは膣のあたりで小さなゴムボールを挟み、性器をこすり付ける行動が見られる【4】。

ゾウ——念者と若衆

大型の哺乳類の寿命は長く、一頭の子を乳離れさせるのにも長い年月がかかる。そして交尾を求めるオスは攻撃的であり、母子にとっては危険因子だから、オスによる子殺しをいかに防ぐかは、哺乳類の社会構造が決まる上で主要なファクターだ。

だから対策の一つとして、大人のメスは、オスとは常時一緒に生活しない種が多い。オスにとって、一生の間に異性と交尾する機会は非常に限られている。よくて数年に1回、あるいは一生のうち数年といったところかもしれない。それでもわずかなチャンスで繁殖の機会を逃さないためには、性的な関心と交尾の技術を保っておく必要がある。どうやって？　もちろん、同性の相方と性愛をはぐくむことによって。

ゾウの群れは50頭ほどからなる母系社会である。リーダーは高齢のメスであり、そこにはずっと所属している大人のオスはいない。大人のオスは、7～15頭からなる別の群れを形成しているのだ。単独生活者もいる。

アフリカゾウでもアジアゾウでも、オスは同性間でマウンティングを行うが、その前に十分時間をかけて前戯を行う。鼻をからめ合い、口でキスをし、鼻を相手の口の中に入れる。泥浴びをするぬた場で一緒に転げまわる。

やがて、鼻と牙を使って相手の体勢を整え、一方がもう片方を促し、マウンティングする。マウントする側はしばしば勃起を示している。時間にして1分以内であり、異性との交尾と変わらない。ただし、同性間では数回連続してマウントすることがある。乗りかかる側は年長者の場合もあれば、若者の方であることもある。

オスのゾウはよく同性と「コンパニオンシップ」という長期的な関係を結ぶことが知られている。同胞関係とでも訳そうか。

ゾウ以外の生物では、乱婚――すべてのメスが群れ内のすべてのオスと交尾する可能性があり、定まった性的パートナーを持たない――の種でも、オスとメスがしばらく2頭限りの時を過ごすことがあり、これはコンソートシップと言われている。だが、ゾウでは異性間のコンソートシップはせいぜい15分続くか続かないかくらいであり、分かりにくいものである【19】。

コンパニオンシップという言葉には、同性間のペアであることが含意されている。ただし、ゾウの場合のオス間ペアには年齢差があるので、日本の男色文化で見られた「念者と若衆」に近いかもしれない。

コンパニオンシップのオスカップルは、互いに助け合って暮らしている【20】。2頭の「若衆」を従えた年長者もいる。アジアゾウではコンパニオンシップはアフリカゾウほど長く続かないものの、雌雄混群《しゆうこんぐん》に所属していないオスの18％はコンパニオンシップを形成している。性行動全体の45％ほどが、同性とのものである【4】。

一夫一妻の進化史

ヒトの属する霊長類は、哺乳類の中では例外的に、一夫一妻の配偶システムをとる種の多い系統である。配偶システムのデータがある霊長類361種のうち、29％が一夫一妻である【21】。

なお、一夫一妻というのは浮気をしないとか、パートナーが変わらないということを意味しているわけではない。ベースの性行動もしくは、社会生活の単位が大人のオスとメス1頭ずつである、というくらいの意味だ。

霊長類で一夫一妻の種が多いと言っても、それらは、ヒト以外のすべては樹上で暮らす種である。東南アジアの森に棲む小型類人猿であるテナガザルの仲間を除いて、多くはアメリカ大陸に棲む小型のサルたちだ。

ヒトに近縁な動物たちは、チンパンジー、ボノボ、ゴリラ、オランウータンといった大型類人猿だが、いずれも一夫一妻社会ではない。ヒトも、チンパンジーやボノボとの共通祖先であった時期には、一夫一妻ではなかったと考えられる【9】。

2000年前後からの神経科学的調査により、動物を特定の配偶相手に執着させ、一夫一妻のペア形成を促す神経基盤がどのようなものであるかについて、研究が大いに進んだ。

ネズミの中には近縁種でも乱婚なものと、一夫一妻のものがいるのだが、両者を比較して、脳のどこでどのような神経伝達物質が働いているか調べたのである。

交尾を行ったり、しばらく一緒に過ごしたりしていることによる快感が、脳内の報酬回路と呼ばれるドーパミン神経系に作用する。その際に一夫一妻の種では、最初に未知のパートナーへの受容性が開き、相手が決まると受容性の窓が閉じる。結果、脳はその相手の存在に依存している状態になることが分かった。

そして、げっ歯類では、いくつかの遺伝子を改変することで、乱婚の動物に一夫一妻行動を取らせることができることが証明された。すなわち、わずかな遺伝子変異をスイッチとして、配偶システムの進化が起こりうるということだ。

ペア・ボンドは雌雄の間で進化したのか

しかしながら、集団の中で新しい行動形質が定着し進化につながるには、新しい行動に、従来の行動以上に繁殖を成功させる上で利点がなければならない。

周囲の連中がみな相手かまわず乱婚の性行動をする中で、特定の相手のみとの関係を維持するのは、利害対立的に言って並大抵ではないだろう。

実は、**群れの中に複数のオスとメスがいて、通常は乱婚の配偶システムをとる動物たちも、期間は短いものの、ときどきパートナーと一緒に群れを離れて排他的な性的な関係を結ぶことがある。**

これがコンソートシップであり、乱婚社会向けに調整された脳を持つ動物の心の中にひそんでいる、一夫一妻的な心理傾向の萌芽とも言える。コンソートシップを取れば、順位の低いオスもしばしの間メスを独占し、自らの子孫を残す確率を高めることが期待できる【9】。

しかしながら**問題は、進化適応の性差理論が示唆するように、雌雄は本質的に繁殖を**

めぐって利害が対立する可能性があるということだ。とりわけ、哺乳類のメスにとっては幼い子どもを養育するのにエネルギーと時間がかかる。オスはそれを放っておいて他のメスと子を作るのにいそしむことができる。さらにオスは、そうした貴重なメスにアプローチするために互いに攻撃力を高めるのみならず、子連れのメスに危害を及ぼす可能性すらある。

霊長類のいくつかの系統で一夫一妻制が進化したことに対するもっとも有力な仮説は「子殺しの防止のため」というものである【22】。後からイクメンを期待されることもあるけれど、パパにもともと期待されていた役割は、セクハラ・暴力オスから、メスと子の命を守ることである。

乱婚のニホンザルや、インド原産のアカゲザルでは、異性間、同性間のコンソートシップの両方が見られる【8】。

コンパニオンシップはこれに対し、より長期的な同性の友情関係であり、性行動が付随する種も見られる【註2】。イルカやゾウの例で見たようにコンパニオンシップが生活の中で重要な役割を占めている一方で、異性間ではそうした長期的なつながりを持たない種も多い。

一夫一妻を成立させる神経基盤やその進化は、これまで当然のようにオスとメスとの間のものであると考えられてきた。

しかしながら、哺乳類の生活実態を見る限り、そういう前提は正しくないかもしれない。生物の系統によっては、同性間のペア・ボンドの進化が異性間のペア・ボンドの進化に先行した可能性は十分に考えられると思う【23-25】。

コウモリの豊かな性生活

アクロバティックな性行動を取る変わり種として、コウモリたちを紹介しよう。

コウモリは１００～数千頭の大きなコロニーを形成するものがあるが、その中に、雌雄のグループがあったり、基本の家族ユニットがあったりする。

そして例によって、同性のグループの中でいちゃつき合いが生じる——翼で相手を包んで抱きしめ、頭を相手の胸にすり付け、鉤《かぎ》づめで毛並みを整えてやる。その間、２頭は優しい声で鳴きかわし続ける。同性同士でいちゃついているところに異性が割り込もうとしても、追い払われてしまうことがある。

ただし、同性間性行動の出現頻度には、種や性別によって大きな違いがある。

インド洋上のコモロ諸島に棲む全長30センチメートルにも及ぶコモロオオコウモリ

は、頻繁に同性間性行動を見せる種の一つだ。英語ではフルーツバットという。異性愛でも同性愛でも、相手の体をなめ回したり、甘噛みをしたりする。

コウモリたちは、生殖可能性がない時期も性的な遊戯をしている。異性との間でも、オーラルセックスや、足を使ったマスターベーション、あるいはメスがオスにマウントするなど、受胎に結びつかなそうな行為を頻繁に行っている。

中でも性別による興味深い非対称性が見られるのが、チスイコウモリである。チスイコウモリは中南米に棲む、全長10センチメートルに満たない小さなコウモリだ。寝ている家畜の皮膚を傷つけて、血を舐めることで嫌がられる。血は消化がよい半面、腹持ちの悪い食物で、空腹期間が長いと致命的となる。

オス同士はしばしば、先に述べたような性的ないちゃつきを見せる。一方、メス同士はあからさまな性行動を見せないが、5年から10年にもわたるコンパニオンシップ――

*2　同性間の、しばしば性行動を含む結びつきについて、近年ではコアリション（連合関係）という言葉の方が広く使われている。しかしコアリションは2頭間の関係に限定しない用語である。さらに、性的な関係の重要性に必ずしも注意を向けた用語ではない。そのため、主に一対一の同性間の結びつきについては、本書ではコンパニオンシップという表記を用いている。学術論文を読む方は、連合パートナーシップなどの語に読み替えていただきたい。

血の盟友――関係を形成する。すなわち、互いが飲んできた血を吐き戻して、相方や、相方の赤ん坊に与える。通例2頭ずつのペアだが、複数の個体と同時に盟友関係を結ぶメスもいる【4】。

つまりメスに関しては、強固な協力関係を結ぶ上で、性行動を要しない例である。

稚児を持つテンジクネズミ

乱婚だけれども、生活共同体として同性間のコンパニオンシップ関係が見られる例を、最後にもう一つだけ挙げておこう。南アメリカに住むテンジクネズミの仲間である。モルモットやカピバラも同じ科に属していて、他にマーラやヤマクイといった仲間もいる。テンジクネズミの仲間は、20～50頭のゆるいつながりの群れを形成し、配偶システムは乱婚である。

同性間の性行動やコンパニオンシップがよく知られているのは、ミナミヤマクイという、全長20センチメートルほどの乾燥地帯に棲むネズミだ。

大人のオスは、雌雄いずれの年少個体にも同じ程度に性的に惹きつけられる。オスは子どもと鼻面をすり合わせ、さらにお尻に顎をくっつけた状態で、グルグル歩き回る。

オスにはしばしば、お気に入りの特定の「稚児」がいる。少年愛を彷彿とさせる。

2頭、ないしは3頭のメスは、コンパニオンシップを形成することがある。口や鼻でキスをし合い、同じ藪の下に暮らし、子を一緒に育てる。そして、大人のオスは、しばしば若いオスとコンパニオンシップを形成する。

これに対し、家畜のモルモットと近縁で、もっとありふれたクイというネズミでは、若干様相が異なる。同性間の性的行動はメスの方がよく見せるのだ。交尾のような求愛行動の3分の1は、メス間で見られる【4】。

ローレンツのガンの同性カップル

子どもの頃から鳥になることを夢みたコンラート・ローレンツは、1973年にノーベル生理学・医学賞を受賞して、マックス・プランク行動生理学研究所の所長を辞した。故国オーストリアの湖畔でハイイロガンの群れと共に暮らすためである。例えが分かる人にとっては、鳥版のムツゴロウさんのような生活を送った、と言えば伝わるだろうか。

彼の『ハイイロガンの動物行動学（1988）』という本では、生物における性別認知と、オス間ペアの行動について紙幅を割いて記載されている。その中の記述を紹介しよう。

いわく、ハイイロガン以外の多くの脊椎《せきつい》動物や節足動物では、外見的に性の見分けがつかなくても、生物はすぐに異性を判別できる。そのため、普通は同性のペアは作らない。しかし、手近に異性が見つからない場合は、相手との優位性の関係によって、いずれの個体もオス側の性行動もしくはメス側の性行動の、いずれをも行うことができる。ローレンツ以外の観察者の報告として、カエデチョウ、ライチョウ、ハト、ニワトリでも、個体がオスの行動を取るかメスの行動を取るかはまったく固定されていない、とも紹介されている。

ただし、ローレンツが長く研究してきたカモ科の鳥たちはこれに当てはまらず、パートナーがいなくなっても、メスはメスのままである。性役割行動セットの性別移行はないままであり、メス同士の交尾を伴う同性カップルは、ハイイロガンでは見られなかった。

だがメスのガチョウとガチョウの交雑個体との間、およびヒドリガモでは、同性カップルが見られる。また、ガンでもオス同士のカップルは頻繁に見られており、これにメス1羽が参加するトリオもしばしば現れる。

ハイイロガンのオス同士のカップルと異性間カップルとの違いは、オス同士では近親婚の回避が働かず、兄弟によるつがい形成も見られることである。さらに、オス間カップルはエネルギーいっぱいで、異性カップルに比べて騒々しい。
そして、定期的な交尾行動を見せるカップルも、そうでないカップルもあるが、つがいの結びつきの点では本質的な違いがない。それは異性間カップルでも同様である。ペアの永続性に関しては、オス間カップルと異性カップルは同程度。ローレンツの本が書かれた時点でも、ペア結成から12年目のオス間カップルが幸せに生活していたという【11】。

繁殖に結びつかない性行動は珍しくない【26】

ヨーロッパで同性愛を攻撃するために用いられた理屈に、「自然ではないものは悪い」というものと、キリスト教の禁欲主義がある。これらはもともと関係がなく、互いに相いれない部分も多かった。

ギリシアのアリストテレスやプラトンの影響を強く受け、古代ローマのストア主義の流れをくむ中世キリスト教社会のスコラ哲学が「不自然」としたものには、以下のような行動が挙げられる。

・快楽のための食事、過食

・独身
・同性愛
・マスターベーション
・避妊
・中絶
・正常位以外での性交
・不妊の妻と離婚しないこと
・高利貸し（金銭が子を生じさせるのはおかしいから）

つまり生殖は重要である。子ども、特に嫡出子を生み出すことに結びつかない性行為はすべて「悪い」。

しかしながら、同性愛に対する攻撃が高まった時期以外は、他の異性愛行為と比較して、同性愛が特に問題視されていたわけではなかった。むしろ、望まぬ妊娠を避けることができるため、放埒《ほうらつ》な異性愛よりはだいぶマシだと、世間的には考えられていたようだ。

これに対し、キリスト教の禁欲主義は、初期仏教における戒律と通じるものがある。いわば、修行のための禁欲である。

禁欲主義の場合はこうなる。独身が最上であり、本来は、子どもは作るべきではない。結婚は性欲のはけ口としての必要悪である。売春は悪だが、結婚は価値あるものだ。**妻が不妊でも離婚してはいけない**。なぜなら、イエスが離婚を禁じたから【27】。

自然な行動が望ましいという考えと、キリスト教禁欲主義という、二つの起源を異にする考え方がよじれたかたちでつながって、これらの性行動に対する価値づけや偏見を作っていった。マスターベーションの罪悪視は20世紀初頭まで残ったし、避妊や中絶については、現在でも問題視される場合がある。

こうした「生殖の目的のためのみの性行動」という観点は、適応主義の進化生物学における生殖観にも、忍び込んでいないだろうか。

すなわち、こんな考え方である。

生物は、エネルギー収支の帳尻を合わせて生き抜いていくだけでかつかつである。生殖は貴重な資源を浪費するので、遺伝子の効率的な拡散に役立たない行為は避けるはずだ。だから、生殖に直接結びつかないように見える性行動は、何らかの説明を要する。

しかし、生き物の行動や意思決定は、要因を一つに絞れるほど単純なものだろうか？

ローレンツや昔の動物観察者が、同性間での性行動やつがい形成についていろいろ記述できたのは、性行動は繁殖成功度の向上のためにあるはずだ、という先入観を持って生き物を見ていなかったからではないだろうか。

ライオン——プラトニックなコンパニオンシップvsプライドでの過剰な性生活

ライオンも母系社会で暮らす乱婚の動物である。雌雄ともに、プライドという繁殖のためのグループに所属しているものと、プライドには所属せず、単独で、もしくは同性とのコンパニオンシップを作って放浪しているものがいる。

コンパニオンシップ関係にある、オス同士、メス同士の絆は長く、強い。常に寝食を共にしている。しかし彼らは、性的な睦《むつ》み合いはまずしないようだ。そして、6割のオスは、メスと一緒の生活は経験することなく一生を終える。

これに対し、プライドに属するライオンたちの生活はたいへん性的である。

メスは発情期の3日3晩、寝ることもせず、1時間に4回ほども交尾を行う。その際に、5頭ほどのオスと取っかえひっかえである。受胎だけが目的であれば、こんなには必要なさそうだ。

メスの性行動すべてのうち、13％が妊娠中に行われたという観察もある。当然ながら、繁殖にはまったく役に立たない。ある集団では、メスの異性との性行動のうち8割は、繁殖に結びつく可能性のないものだった。

頻繁な異性間での交尾に加えて、同性間での性行動も盛んである。特にメスの間で、互いにマウントし合うのがよく見られる。彼女たちは、血縁者同士であるにもかかわらず。オスもしばしば、お気に入りのオスのパートナーを囲い込む。

さらに、飼育下のオスでは、寝転がった状態で腰を頭の上まで持ち上げて、前脚でペニスをこすってマスターベーションをしているところが観察されている【4】。

シカと交尾するニホンザル

動物が他の種の動物と交尾するのはそれほど珍しいことではない。ホモ・サピエンスがネアンデルタール人やデニソワ人と交雑していたことが化石DNAの分析で明らかになり、世界を沸かせた【28】。

また、脳の一部を切除した動物で、相手の見境がつかなくなり、手当たり次第に交尾をするようになる症状もある。これをクリューバー・ビューシー症候群という。ニワトリにマウントするウサギの写真などが有名で、よく心理学や神経科学のテキストに掲載されていた。

しかし、健康な動物が、自分とまったく違う動物との交尾を試みるだろうか。そうした問題を扱ったはじめての定量的な研究が、行動科学の研究者であるポール・ヴェイジーのチームによって行われた。

研究によると、大阪の箕面市で、ニホンザルの若いメスたちがニホンジカに頻繁にマウントして、性的な快感を得ているというのである【29,30】。類似の行動は、屋久島でも見られていた。シカの方は、それによって影響を受けている様子はない。

しかし、シカたちがニホンザルと比較して禁欲的であるかというと、そういうことはなさそうだ。

日本のシカと近縁であるヨーロッパのアカシカでは、性行動の様子が詳しく調べられている。彼らも多くの他の哺乳類で見られるように、メスと子からなる母系制の群れと、オスのみの群れに分かれて暮らしている。1〜2カ月にわたる繁殖期の間のみ、オスはメスの群れに交じり、乱婚的に交尾をする。

メスもオスも同性間での性行動を見せるが、特に顕著なのはメスで、繁殖期以外でも7割のメスが同性間での性行動を見せる。それらの内で、3割のメスはもっぱら同性間のみで性的関係を持つ。他の個体ではさまざまだが、平均して5割近くがメス同士のマウントだという。

また、**オスの中には異なる「ジェンダー表現」の者がいる**——ほとんどのオスは枝角を持っているが、ハンメルと呼ばれる、角を持たない少数のオスだ。

ハンメルの見た目はメスとそっくりだが、ハンメルはメスにとてもモテる。健康で戦いにも優れており、体格も一般のオスよりいいので、もっとも順位の高いオスになりやすい。シカの枝角は、いったい何のためにあるのだろうと考えさせられる事例である。

これとは別に、ペルークと呼ばれる、枝分かれしない袋角のままの雄ジカもいる。ペルークでは精巣が発達せず、おおむね生殖能力がない。角を持つメスが見つかることもある。

アカシカ、ムース、ワピチといったシカ類に共通する変わった特徴が、角に性感帯があるらしい点だ。こすられると興奮して、射精に至ることもある。オス同士が角を互いにこすり合わせて快感を得たり、自ら草むらにこすり付けて、愉しんだりすることがある【4】。

スカボロー市でのセイウチ事件

シカと並んで、雌雄で繁殖成功度の偏り具合が大きく異なるため、雌雄の体格差が大きくなる例として挙げられてきた動物に、海獣たち——鰭脚《ききゃく》類がいる。

中でも、セイウチなどはオスの凶暴性の権化であるかのように見える。

何しろ、1・2トンのメスに対して、オスは1・7トン。雌雄ともに牙があるが、オスの方が太く長くなり、1メートルにも達する。一夫多妻でハーレムを作るため、メスへのアクセス権をめぐってオス同士が争うというのも確かである。

だが、オスたちはいつもケンカばかりしているのかというと、まったくそういうことではなさそうだ。性的に成熟したオスの4～6割は、メスとの交尾に参加できる見込みがない。ではどうするか。オス同士の同性間性行動であり、前ヒレを使ったマスターベーションである。

2022年の12月30日、イングランド北部の港町、スカボローでは、スカボロー・フェアならぬ、奇妙な別の事件が起こっていた。

町は大みそかに向けて、花火打ち上げの準備をしていた。そこに、トールと名付けられた野生のオスのセイウチが港にぶらりとやってきた。

日本でもしばしば、都市部の港や河川に、アザラシやクジラが迷い込むことがあるけれど、そんな感じだと思ってもらえればよい。アザラシは見慣れているスカボローの人々にとっても、野生のセイウチを間近で見るのははじめてだったようだ。

問題なのは、このトール君はゴロリと横になり、市民の目前でマスターベーションを続けたのだ。距離を取りつつ、見物する人々で黒山の人だかりができてしまった。リラックスモードのセイウチを驚かせてはいけないと、市議会は大みそかの花火打ち上げを中止する決定を下した【31】。

セイウチは実は見た目によらず穏やかで、賢く遊び好きな動物だ。メスは体が小さいけれど、水中でオスを後ろから捕まえて、オスに対してマウントすることがある。また、飼育下では交尾の前に、オスのペニスをヒレと口で愛撫して勃起させる様子が見られている【4】。

動物は、ヒトの道徳の手本ではない

こういった動物やヒトの行動について生物学的な検討を行おうとするときに、まず注意しておかなければならないことがある。**物事を客観的に「説明する」ことと、その事象が道徳的に「望ましい」かどうかの判断は別である**、ということだ。

これまでの歴史で優生学や社会ダーウィニズムのもたらした惨禍に見て取れるよう

に、「自然の法則」を価値判断に流用しようとすることは、大きな危険性をはらむ。中世のヨーロッパでも真偽が疑わしい動物の行動の例が、道徳指針を示す説話としてよく用いられていた。日本における「自然の摂理」という言い回しも同様だ。

重要なのは、**仮に動物の行動を手本にしたくても、行動パターンは種や状況によって千差万別なので、簡単に法則を見出せない**点である。その結果、必然的に自分の主張したい目的に当てはまる部分を切り取って権威付けに使うことになってしまう。

ヒトは言葉を使って思考するため分かりにくくなっているが、わたしたちはたいていの場合、さまざまなデータや知識があって、そこから道徳的判断を導き出しているわけではない。実情は逆で、感情的な好悪の判断が先にあってはじめて、判断が可能になる。そしてわたしたちの脳は、判断を補強するデータや言語化した理屈を、後付けでくっつけるのである。

動物の行動を性倫理の手本としようとして、先人たちがいかに奇妙な理屈を並べ立ててきたか、神経科学者のサイモン・ルベイが論じているのを、YouTubeで視聴することができる。“My Brain Made Me Gay: Sexual Orientation, Science, and Society”と題された講演である。

1．同性愛は自然で、よいことだ。なぜなら、多くの動物がしているから。
2．同性愛は汚らわしいものだ。なぜなら、ケダモノのすることだから。
3．同性愛はよいことだ。なぜなら、特に愛らしい動物がよく行うことだから。
……などなど。

サイモン・ルベイは、ゲイの人たちの脳における異性愛男性との違いの根拠をはじめて示した、わたしがとても尊敬する神経科学者である。彼はエイズ禍で同性愛者コミュニティが混乱に陥っている1991年に、性的指向の多様性には生物学的な根拠があることを、神経科学的にはじめて説得力あるかたちで示した【32】。彼自身、同性パートナーに先立たれて失意の中、研究をすることで悲しみを乗り越えた。

その後、『クイア・サイエンス——同性愛をめぐる科学言説の変遷【33】』や『*Human Sexuality*』という教科書などを執筆し、科学の知見と社会との関係について教育活動を行っている。

彼は同性愛を許容する根拠は、生物学的な説明ではなく、「性にまつわる個人の意思決定を尊重するのは、それが基本的人権だから」であるべきだと主張している。

もっともであるし、「科学的」とされる研究成果が発表されるたびに、自らの正当性の根拠を探して研究成果を持ち上げたり堕としたりすることはスマートとは言えない。**しかしながら、新しい生物学的な知見をフォローしておくことにも価値があるはずだとわたしは思う。なぜなら、自らの価値判断に権威付けしようとする人が「自然の摂理」を持ち出すのは日常茶飯事だからである。**生物学上のエビデンスを知らなければ、誤った根拠について指摘することは難しくなる。

そのため、「動物や伝統社会の人々がしていることは正しい」とする「自然主義の誤《ご》謬《びゅう》」に陥ることに対しては注意しつつ、広い視点から議論の材料を提供することには意味があると考え、本書をあらわす次第である。

Part 2
ヒトの同性愛を生物学から探る

「同性愛者」の誕生

19世紀における現代科学の成立時、欧米はヴィクトリア朝的な保守的倫理観と、産業革命による躍動のはざまにあった。

13世紀末のフランスを端緒として、ヨーロッパのほとんどの国は同性愛を処罰する法律を持っていた。男性間の同性愛が見つかると処刑されることもあった。

同性愛迫害の根拠はキリスト教だったのだが、18世紀の啓蒙主義の影響で、宗教犯罪は法律の処罰対象から除かれていく。それに伴い、フランスでは同性間性行為は非犯罪化され、イギリスでも1861年に死刑から終身刑へと緩和されている。

ドイツの多くの地方でも非犯罪化が進められた。しかしながらプロイセン刑法には、男性同性愛を「反自然的な淫行」として処罰する規定が残されており、これを継承したドイツ帝国刑法(1871)にもソドミー法が含まれることになった【34】。

そこでは、反自然的な淫行としてのソドミー――旧約聖書のソドムとゴモラの伝承に語源を持つ――に何が含まれているかは明示されないものの、肛門性交、獣姦、オーラルセックスを含むと解釈された。その中で実際に処罰の対象となったのは、やはり男性における「同性間の性行動」であった。「同性愛者」であることが個人の特性であるという発想は、当時の人々は持ち合わせていなかった。

現代的なゲイ・リブ運動の創始者と目される、ドイツの法律家カール・ハインリヒ・ウルリヒスは自らも女性的なゲイであり、人間がゲイ、もしくはレズビアンとして生まれてくるのは、胎児期に何らかのきっかけで中間的な性になるためだと主張し、ソドミー法の撤廃を訴えていた。1864年のことである。

ウルリヒスは同性愛者に対応する語をプラトンの『饗宴《シュンポシオン》【35】』の神話的な表象から借りていた。饗宴では、神によって二分される前の人間は、ふたりで一体をなしていたとする。男女で一体だった男女《おめ》の個体は引き裂かれて、引き裂かれた相手を求める異性愛者となった。だが、もともと男男だった個体は愛の対象として男性を求め、女女だった個体は女性を求めるようになる、というものである。

すなわち、同性愛者としての個性は異性愛者とは別である、ということを主張するために、ウルリヒスは神話の表象と生物学的な説明の両方を巧みに用いたのだ【36】。

彼はヒト以外の生物で同性間の性行動が見られる例も報告している。身体的半陰陽のケースを、心理的な中性性の存在を主張するアナロジーとして用いる一方、生物としては同性愛の存在は謎である、とも述懐する。

半陰陽【註3】とは、男性と女性の生殖器のそれぞれの要素を、ある程度ずつ、両方備えた人のことである。19世紀後半から20世紀前半にかけて、生殖器の発達が典型的な男女におさまらない人が存在することが、医者の知るところとなった。そして得られた生物学者、性科学者、心理学者による共通理解は、生物はいずれもオスとメスとの両方の要素を持ち、本質的にバイセクシュアルである、というものだった【37】。

半陰陽のヒトや動物の存在は、生物学的な「性」の仕組みを明らかにする重要な手掛かりであった。

生物やヒトの両性性を示す

19世紀後半、性科学に関心を持つ知識人は、さまざまな生物や社会における同性間性行動の証拠を蓄積していた。

ドイツの昆虫学者フェルディナンド・カルシュは文献調査や研究者からの報告にもとづき、哺乳類から鳥類、昆虫など、同性間の性行動がさまざまな系統にわたって見られることをまとめている【38】。1900年のことである。

例えば、ウシ、ヤギ、ヒツジ、アンテロープといった偶蹄目《ぐうてい》のメスは、同性間性行動を行おうとする傾向が強い。牝牛は、オス的な性行動を取ろうとする衝動が特に強い。

カルシュはその根拠として、アリストテレスによる、牝牛がマウントしようと雄牛にしばしば飛び乗る、という記述を紹介している。また、18世紀フランスの博物学者であるビュフォンの観察も多く引用している。メスのアンテロープがさまざまな動物にマウントしようとしたり、さまざまな鳥で同性間性行動が盛んに見られたりする、といった内容である。

カルシュは、ベルリン自然史博物館で学芸員を務め、探検家や自然学者から世界中の資料を集めていた。彼は、動物行動学者としてのみならず、性科学者としても知られた。「原始的」な人々――中国人、**日本人**、韓国人や、アフリカ、アジア、オーストラリア、アメリカの伝統社会の人々――の同性間性行動についても、多くの著述を残している。

彼による動物の同性間性行動をまとめた論文は、内科医で性科学者でゲイでもあった、マグヌス・ヒルシュフェルトの出版した年報に掲載されている。

*3 現在の認識でいう、性発達の多様性（Differences of Sex Development：DSDs）の中に含まれる一つの様態である。DSDsはより幅広い発達の非典型的状態を含んでいる。歴史的な「半陰陽」という表現や、実情と異なった印象を与える「両性具有」という表現を避けるために、DSDsという言葉が使われている。インターセックスという呼称の方を好む人もいる。

ヒルシュフェルトは、生物学的な背景の解明により性的マイノリティに対する偏見を打ち破ることができると考え、「科学を通じた正義」をモットーに研究と教育活動を進めていた。彼は現代的な性別適合手術手技の基礎も作っている。

そして、新しく立ったワイマール共和国の憲法（1919）のもと、ドイツでは同性愛が合法となった。憲法公布にわずかに先立って、ヒルシュフェルトはベルリンはティーアガルテンの一角に「性科学研究所」を設立する。世界初の、性科学の研究所である。ワイマール期のベルリンは、多様なセクシュアリティや性表現を持つ人々の避難場所となった。先述のカルシュも後半生は、自らがゲイであることを公にして生きた。『人類婚姻史（1891）』を著し、最初のダーウィン主義社会学者と見なされているウェスターマーク【註4】も、同性間性行動の普遍性に言及している。彼は、1906年の『道徳思想の起源と発展』において、同性間の性行動は「動物においては頻繁に見られるのに加えて、多くの人々の間で見られ、少なくとも散発的にはあらゆる人種において見られるものである」と記している【39】。

19世紀のヨーロッパは、現代に生きるわたしたちからすると、硬直化した性役割規範に人々が翻弄されていた時代に見える。しかしながら学術の世界では、性のありようは雌雄に二分されるのではなく、むしろ連続的なものであるという認識が広がっていた

【40】。

ダーウィンも、『種の起源（1859）【41】』を執筆するかたわらフジツボの研究に没頭し、フジツボでは同じ種や系統の中に、雌雄異体のものと雌雄同体のものが混在する場合があることを発見した。性決定の仕組みに揺らぎが見られることは、性の進化を明らかにする貴重な切り口であるに違いなかった。動物の雌雄同体と、ヒトの非典型的性分化の一形態である半陰陽とは、英語で表現すると同じ言葉、hermaphrodite である【42】。

ダーウィンは動物における同性間性行動の存在についても認識していたようだが、性淘汰の考えを著した『人間の由来（1871）【43】』では、あからさまな言及を慎重に避けている【44】。

彼はペットの雌犬にサッフォーという名前をつけていた。レズビアンの代名詞となっている、古代ギリシアの詩人にちなむ名前だ。

*4 ウエスターマークは、当時の精神分析学者が主張していたような、幼い子どもは異性の親に対して性的欲求を持つという考え（エディプス・コンプレックス）を否定した。むしろ、生育時に近くにいた異性は性的な対象として見なくなるという、「近親婚の回避」現象が見られるとした。

性を決めるのは染色体か、ホルモンか

1905年、さまざまな昆虫の精子産生プロセスの検討から、XY染色体が発見された。雌雄でかたちが異なる「修飾染色体」あるいは「異形染色体」が、精子産生や性決定に役割を果たしていることが確かめられたのである【45,46】。

当時の研究者の中には、Xが女性の染色体、Yが男性の染色体という分類がされることで、性別がくっきり2つに分けられるという印象が広まることを危惧する者も多かった。そうした研究者たちは、XYを性染色体と名付けることに反対していた。

1920年代には、性ホルモンが生殖器の性分化や行動にもたらす影響が詳しく調べられるようになり、ホルモンのはたらきの威力についての知見は、欧米の一般人の間でも大ブームとなった【42】。遺伝子と性ホルモンとの相互作用が雌雄の違いを生み出すことが理解されるようになると、XYを性染色体と名付けることが自然の流れとなった。その結果、これらの「修飾染色体」、すなわちXYが雌雄それぞれのシンボルであるという概念が確立してしまった【40】。

一方で、1930年代にヒトの組織から性ホルモンが測定できるようになると、男性も女性ホルモンを持っているし、女性にも男性ホルモンが働いていることが知られるよ

うになる。性ホルモンの観点からすれば、**性がスペクトラムであることと、性の境界は動かしうることは、ますます明らかであった**。

しかしながら、性の多様性に対する生物学的な探究や教育の試みは、第二次世界大戦により中断される。1933年にドイツではナチスが台頭し、「性科学研究所」は最初の焼き討ち対象のひとつとされた。

性に関する生物学的知識はやがて、社会の中で男女二元論や異性愛主義の根拠として使われるようになっていく。生殖統制を求める政治思想と親和性があったのが、個人差の起源として遺伝子の影響を強く想定する、優生学であった。

その後も、動物の性ホルモンの操作によってオス、メスそれぞれの典型的な性行動を反転できることを示し、現代的内泌行動学を確立したアメリカ合衆国のフランク・ビーチ【42】は、自然状況でも動物はしばしば同性間で性行動を行ったり、性役割が反転したりすることに注意を喚起していた【47, 48】。しかし、男女二元論と結びつけられた生物学的な性の定義は、学術界を含め人々の世界認識に深く根を下ろしていた。

進化理論による宗教的自然観の破壊

生物の多様性の探究と、集団の優秀さを求めるための多様性の切り捨てのアイデアは、その当初から文字通り親戚だった。チャールズ・ダーウィンと、いとこのフランシス・ゴールトンである。

チャールズ・ダーウィンは生物の形態や行動の進化のプロセスを、膨大な資料をもとに示し、進化理論を確立する。

人間も進化の産物であり、生物界の一員であるというダーウィンの指摘は世の中を震撼させた。人間の自然界の中での特別性や倫理規範の根拠は、いまだキリスト教の権威に深く依拠していたからである。進化をベースとした唯物的世界観を示し、宗教的な自然観を否定したことで、ダーウィンは教会の敵となった。

ダーウィンは家畜の育種やマルサスの人口論から着想を得て、自然淘汰の理論を打ち立てた。ガラパゴス諸島のそれぞれの島に、少しずつ違うけれどよく似た特徴を持つ異なる種が分布している。ゾウガメであったり、小鳥のマネシツグミであったりする。

キリスト教の世界観によれば、すべての生物は神が今あるかたちとして創造したことになる。島ごとにちょっとずつ異なる、また大陸に生息するものともちょっと似ているさまざまな生物も、人間の社会階層も、神の意志により作り置かれたのである。神は試行錯誤しないはずだからだ。

これに対して、進化理論は、生物は生き残るために、**環境の要請に応じて変化し、多様化する**と教える。

ダーウィンには『人及び動物の表情について【49】』に見られるように、心理学者としての一面もあった。人間の行動や心理状態を、他の生物と連続性があるものとして論じた。さらに、世界中の「未開社会」の人々と、ヨーロッパ人との間で、表情やしぐさに共通するものがあることを示している。

生物学による人間理解にもとづけば、さまざまな大陸に住むヒトは、見かけは異なっても同じ種（ホモ・サピエンス）しかいない。そのため、「人種」という概念自体にも妥当性はないのである。

ダーウィンは、奴隷制度や人種差別を、人類の進歩を妨げるものであるとして非難していた。ダーウィンと、そのいとこであり妻となったエマ・ウェッジウッド両人の祖父は、イギリスで当時最大の陶器メーカーを起業したことで知られるジョサイア・ウェッジウッドである。そして、ジョサイア・ウェッジウッドは熱烈な奴隷解放活動家としても知られていた【50】。

ゴールトンと優生学

これに対し、ゴールトンは生物学的人間理解の知見を、まったく逆方向に活かすことになった。ゴールトンもダーウィンのいとこであり、ダーウィンの進化理論から強い影響を受けた。

ゴールトンは測定魔であった。ヒトの間の個人差に着目し、ヒトの心身の形質をかたち作る遺伝と環境、それぞれの影響を議論した。そして、統計学や心理テスト、行動遺伝学、気象学、人類学を含む、幅広い分野の基礎を打ち立てている。現在の心理学者にとって、方法論に関して、ゴールトンのアイデアに由来するものを排除して進めることは難しい。

彼は、産業革命で生じた社会矛盾を優秀な人間同士の結婚〜育種によって解消することを夢想した。犯罪者や貧困が、社会にもたらすコストを取り除くにはどうしたらよいか。それに対する答えとして、農作物や伝書バトを品種改良するように、才能豊かな人間同士を結婚させ、さらに優秀な子孫を産ませることを提案したのである。

類似の考えのはしりは、古代ギリシアの哲学者、プラトンの唱えた『国家【51，52】』での理想社会にも見て取ることができる。ゴールトンは個人差を生じさせる遺伝的関与と、生育環境の関与を分けて分析する方法を考え出した。個人の特性をかたち作るのは自然か環境か（Nature vs Nurture）、を調べようとしたのである。

天才はもともと才能豊かな家系に生まれやすいという『*Hereditary Genius*【53】』では、優秀な人物は、類似の才能を持つ人たちの遺伝子を集積した家系に生まれやすいとした。一方で、『*English Men of Science: Their Nature and Nurture*【54】』では、教育や出生順位、すなわち兄弟間の生まれ順など環境要因が才能の発揮に及ぼす影響も検討している。

ゴールトン自身は、優生学（eugenics）という言葉を作ったが、その社会実装に向けて行動を起こすにはいたらなかった。優生学を社会に広めるために尽力したのは、彼の弟子であるピアソンやフィッシャーといった、統計学の確立者たちである。

こうした、新しい科学を用いた生物寄りの人間改造の試みは、19世紀後半から強くなった。そして20世紀前半、次第に各国の帝国主義政策のバックボーンとなっていく。

優生学の惨禍と没落

優生学は、人道上はいうまでもなく、学術知見としても問題を抱えていた。

人間の創造的な才能は、レース用のハトや馬の勝率や、ラットの迷路学習の効率ほど単純なものではないということが一つ。

もう一つは、**進化は、種や民族を存続させるために進むわけではない**、ということだ。ゴールトンは、あたかもわたしたちがメダカの新しい品種を固定しようとする場合のように、繁殖させるべき人間とそうでない人間を分別して掛け合わせることにより、より優れた種族を作っていくことが可能だと主張した【55,56】。

現代人からすると、まったく意味不明な発想に思われる。しかし、ヨーロッパでも恋愛結婚は19世紀にようやく一般的になってきたところであった【57】。ゴールトンのような高い社会階層にあっては、親や親族が結婚相手の選択に口出しをするのは当然であったろう。ゴールトンにとっては、おせっかいな父親の思慮がちょっと拡大したもの、というくらいの感覚だったのかもしれない。

優生学と並んで、生物学の知見を社会政策立案に役立てようとした考えに、「社会ダーウィニズム」がある。社会ダーウィニズムは、現在では忘れ去られた感があるが、進化のアイデアを国家間の優劣の議論にすり替えたものである。優秀な国民からなる国家が、より「進化していない」未開の社会を支配するのは妥当である、とする考え方である。

優生学と社会ダーウィニズムは、20世紀前半の国家間の覇権競争において、富国強兵政策を支える理論的支柱となった。欧米の白人男性が、地球上でもっとも進んだ種族であることは、彼らにとってはまぎれもない科学的事実だった。それを目指して人種を改良していくことが社会正義とされ、国内の少数民族は排除の対象とされた。

そうした中、欧米諸国は障害のある人の不妊化――断種政策を進め、人種間の結婚を禁止した。日本の知識人は、こうした先進事例を国内に紹介した。

ドイツでは、1933年にヒトラーが政権を握り、科学の名を借りた少数者排除はますますエスカレートしていく。優秀なアーリア人の純血と繁栄に悪影響があると考えられた人たち――障がい者、ユダヤ人、ロマ族（かつてジプシーという蔑称で呼ばれていた人々）、スラブ系の人々、売春婦、同性愛者――が次々に捕らえられて虐殺された。

しかし、ここで注意しておかなければならないことは、ナチスは同性愛者を遺伝的な問題と考えたから迫害したわけではない、ということだ。ヒルシュフェルトの性科学研究所を破壊したことに見られるように、同性愛が生物学的な多様性であるという考え方は、ナチスにとって目の上のタンコブだった。

ナチス側は当時の社会通念にもとづき、同性愛者と異性愛者との間に、生物学的素因の違いはないと考えていたと思われる。同性愛者がひょんなことから子孫を残して同性愛者の遺伝子が広まる、ということがナチスによって危惧されていたわけではない。むしろ、異性愛者を誘惑して同性間性行動を広めることが危険視されたのである【34】。つまり、同性愛者を迫害する側は、誰でも簡単に同性愛者になりうるものと想定していた。

ゲイやトランスジェンダーになるのは親の育て方のせい？

生物学的な人間性の説明が、さまざまな差別や社会矛盾の正当化に動員されていた19世紀後半から20世紀前半、社会科学の陣営も手をこまねいていたわけではなかった。

ドイツからアメリカ合衆国に移住したフランツ・ボアズは、そこで人類学の基盤を確立する。ボアズは、人類学の使命として、文化間に優劣はないとする文化相対主義を唱えた。そのことにより、社会のありさまの相違を、遺伝的な優劣で説明しようとする社会ダーウィニズムに対抗し、文化の独自性として説明するよすがを作ったのである。日本人の国民性を『菊と刀（1946）』で恥の文化として解説したルース・ベネディクトや、『サモアの思春期（1928）』で伝統社会における性倫理は欧米とまったく異なると主張したマーガレット・ミードは、ボアズの弟子である。

しかしながら文化相対主義は次第に、ヒトの心や社会行動のベースとして、普遍的な要因の実在を論じることをタブー視するようになっていく。

心理学では、ヒトが普遍的に持つ心や行動のあり方を説明しようと試みる。しかし心理学の領域でも、経験や学習が心に及ぼす影響を強調することが、1920年頃から1960〜70年代まで、アメリカ合衆国を中心として主流となっていた。ひとつは、臨床心理学や社会思潮に大きな影響を及ぼした精神分析学だ。

19世紀の終わりに精神分析学をたてたジークムント・フロイトは、幼少期の親との性的な葛藤が無意識に影響し、その後の一生の心のはたらきに影響を及ぼすとした。フロイトも、当時の生物学的な理解にもとづき、人間は誰しも解剖学的に両性的な性質を備えているものだ、という前提を持っていた。その上で彼は、養育体験にもとづいて心理面での男性性、女性性が固定化されていくと考えた。第一次世界大戦後、フロイト流の精神分析学は、アメリカ合衆国の人文社会学のベースに浸透する。精神分析家は、幼少期に体験した両親のパワーバランスの偏りが子どもの深層心理に影を落とし、同性愛者や、自らの性別に不適合感を持つ者が生じると考えた【37】。

もうひとつの流れは、より客観的な方法で学習の影響を示そうとした行動主義心理学である。行動主義心理学では、実験的な方法で、発達環境や学習が行動をかたち作るさまを証明しようとした。動物やヒトの行動を刺激と報酬、もしくは罰との組み合わせの条件付けで説明しようというのである。行動主義心理学では、外部から観測できない、本人の内的な意識体験は極力避けて説明を進める。この流派は、主観的な意味づけに着目する精神分析学とは、犬猿の仲である。

行動主義心理学的に説明するならば、人が同性愛者になるのは、性心理が発達する時期に、誤って同性との性的な接触で快感を得る機会を持ってしまったためだ、ということになる。あるいは、養育時に適切な性役割を学習させるための強制が足りていなかったからだ、という理屈も成り立つ。

しかし、このような説明では、同性愛が禁止され社会的に抑圧されている状態でも、一定程度の割合で同性愛者が出現することが説明しづらい。

さらに、子どもの頃から男児もしくは女児として扱われ、身体的な性別もそれと一致しているにもかかわらず、自分で認識している性別がそれらと一致せず苦痛を感じている、トランスジェンダーの存在を説明することができない。

生得的な方向付けの追及へ

このようにして**20世紀中後半には、人間や社会の不都合はおおむね、親の育て方や特定の文化の影響に帰するのが一般常識となっていた。**

一方で生物学方面では、主に動物を対象とした研究から、ＤＮＡや神経の働きについての知見が積み重ねられていった。

マクロな研究では、動物の行動をありのままに観察しようとする動物行動学（ethology）が発展し、1973年に3名の研究者がノーベル生理学・医学賞を受賞した。ガンが生まれた時に目にした個体から、社会性を刷り込まれることを示したコンラート・ローレンツは、その中の一人である。

他の二人は、トゲウオの一連の攻撃行動セットやカモメの餌ねだり行動が、単純な視覚刺激を引き金に生じることを示したニコ・ティンバーゲン、ミツバチが8の字ダンスで群れに蜜のありかを教えていることを示したカール・フォン・フリッシュである。

こうして1970年代頃には、少なくともヒト以外の動物の行動においては、進化的にあらかじめ方向づけられた学習の方向性と、行動のセットがありそうだと分かってきた。性別の自己認識や、感情のパターンなど、**ヒトの心のはたらきについても、社会学習と文化の影響によりいくらでも変わりうるという前提には、限界が見えつつあった。**

利己的な遺伝子

1960〜70年代以降、リチャード・ドーキンスの「利己的な遺伝子」のキャッチフレーズで知られるようになる、**遺伝子を単位とした適応主義行動生物学**が盛んになる【58】。それを追って、当初は社会生物学と呼ばれていたが、遺伝子単位の適応主義を人間の行動や心理メカニズムの説明に流用する、人類学や進化心理学【59】も関心を集めるようになる。

それまでも、個体数が過密になるとレミングという北欧に棲むネズミが集団暴走して死に至るという「集団自殺」や、ムクドリの産卵数が減る現象が知られていた。これらは生物が「種の保存のため」に個体の生存を犠牲にする例ととらえられていた。また、働きバチや働きアリは、自ら卵を産むことはできず一生働き続ける。これも、集団の利益が最大化されたもののみが生き残るはずなので不思議なことではないと、生物学者さえ漠然ととらえていた。

このように、集団の利益を起点とした自然淘汰のとらえ方を、群淘汰という【12】。社会ダーウィニズムや優生学の誤りのもととなったのも、群淘汰の考え方である。

ここに進化生物学者W・D・ハミルトンが現れた。彼は、**遺伝子を単位として遺伝子の拡散効率を計算することで、群れや「種」を考えなくても、一見集団の維持のために行われているように見える利他的行動を説明できる**ことを1964年の論文で示した【60、61】。

すなわち、ハミルトン以降の社会生物学的転回によって、「**進化は種の保存のために進むのではない**」ことが、進化生物学者のコンセンサスになったのだ。これは、目的論的、集団主義的な誤用から進化理論を開放し、個体や遺伝子単位での進化適応を検討する豊かな研究フィールドに途を拓くものだった。

性にまつわる適応を予測する基礎理論もたてられた。ロバート・トリヴァースの「親の投資理論（1972）」である【62, 63】。これはダーウィンの性淘汰理論を、次に述べるベイトマンの実験結果をもとに拡張したものである。

性淘汰はもともとダーウィンにより、同じ種で同じ淘汰圧を受けているはずなのに雌雄で異なった特徴を持つ、クジャクのような存在の謎を説明するために提唱されたものである【43】。しかし、雌雄によって生殖をめぐる競争が異なる理由やプロセスについては、詳しく検討しなかった。

雌雄の違いはなぜ生じる？

第二次世界大戦後、ショウジョウバエの奇形を利用して遺伝の様子を調べる方法を用いて、ベイトマンが雌雄の行動差の起源を明らかにしようとした【64】。

ショウジョウバエは乱婚であり、雌雄ともに決まった交尾相手は存在しない。だが、性行動への積極性には雌雄で差がある。卵は一度にたくさん作ることはできないので、メスはたくさんの相手と交尾をしても子どもの数を大幅に増やすことはできない。それに対し、オスはたくさんの相手と交尾すると、どんどん子孫を増やすことができる。そのため、オスの方が性行動に積極的で見境がなくなるという。

現在、この実験結果の報告には誤りがあったことが分かっている【65, 66】。しかしベイトマンの理論は、わたしたちに身近な動物たちの間で、メスよりもオスの繁殖成功度——残す子の数——の個体による偏りが大きいことと、うまく符合した。

アカシカや、ゾウアザラシなどハーレムをつくる一夫多妻の動物を考えてみよう。オスについては、多くの子孫を残すことができる個体は上位数パーセントに集中しており、大部分の個体は子を残せない。対してメスは、たいていの個体がちょっとずつ子を残すことができる。そして繁殖の偏りが大きいオスの方が繁殖をめぐる競争が激しいはずだから、身体的な武器や装飾といった、生存に不可欠ではない特徴を多く備えるはずだ。

トリヴァース理論のうまいところは、親の投資の非対称性を、ベイトマンの指摘したような精子や卵子といった配偶子を作るところだけではなくて、世話行動全般に拡張したところにある。それにより、性淘汰の強度も比較することができるようになった。

すなわち、**子にたくさん投資する方の性**（**多くはメス**）**が繁殖の駆け引き上は不利であり、交尾に慎重となる。あまり投資しない方**（**多くはオス**）**は、交尾を積極的に求める。**投資量の差が雌雄で大きければ、雌雄の特徴の違いも大きくなる。

この「親の投資理論」により、オスによる子育てや、メスの方が交尾に積極的な種、いわゆる性役割逆転種の適応についても論じられるようになった。

人類普遍的な行動と性差

このように、「利己的な遺伝子」理論にもとづいてヒトの行動や性差を説明する試みがはじまったのだが、その外の世界では、それまでの行動主義心理学や文化相対主義の影響により、文化間の差異を強調する世界観が学問的・社会的に主流となっていた。

時代や文化を超えたヒトとして普遍的な共通点も存在するはずだったが、そうした観点から体系的にヒトのあり方をとらえる方法は欠落していたのである。

進化適応的な観点から、さまざまな文化における人間のいとなみを見直す試みをまとめた人類学者が、ドナルド・ブラウンである。ブラウンは、色彩分類、性役割、表情、結婚制度、といった一見文化による違いが大きいように見える行動にも、共通の法則があり、進化的な説明が可能であるとした。人類普遍性（ヒューマン・ユニバーサル）の提言（１９９１）である【67】。

ブラウンの研究は、19世紀にウェスターマークが『人類婚姻史【68】』で提案していた近親婚の回避、というヒトの性心理や、多くの文化がヘビにまつわる祭祀を持っているといった、宗教儀礼の文化間共通性の起源に関する議論を含んでいる。近親婚の回避とは、幼児婚により幼い頃から一緒に育てられた夫婦では、相手を配偶可能性のある異性として認識しにくくなり【69】、子どもができにくいというものである。

それに先立つこと１９７９年に、雌雄および、男女の性行動への積極性の違いの議論を性的マイノリティに拡張した人類学者が、ドナルド・サイモンズである【70】。

ヒトは他の多くの動物と類似し、男性の方が複数の相手との性交を求めようとするのに対し、女性は一夫一妻を求める。ところが、男女カップルでは、それぞれが相手のニーズに対して妥協せざるを得ないため、その中間的なところでごたごたする。

だが、異性に遠慮する必要がない同性のカップルなら違う。男性同士では女性に妥協の必要がないため、ゲイ男性は多くの性的パートナーを持つ。女性同士は逆であり、レズビアンカップルは長続きしやすい、とした【70】。

それを成立させる生理的、社会的要因には言及していないものの、実際の差を説明する理屈としては、説得力のあるものだった。もちろん、ゲイ男性の性行動がすべて乱婚的だといっているわけではない。全体としての傾向の話である。

その後の、世界中からデータを取得し、男女それぞれが異性の性的パートナーを選択する際の基準の性差を示したデヴィッド・バスの研究もよく知られている【71, 72】。男女の性関連行動の中でもっとも性差がはっきり出るのが、短期的な性的な関係を持つことに対する許容度の高さ、である。すなわち全体としては、男性の方が、よく知らない相手と性的な関係を持つことに対する抵抗が薄い【73】。これは、性犯罪の多くが男性から女性に対して向けられることをよく説明する【74, 75】。

短期的な性関係を持つことへの指向性は、同性の中でも大きく異なる。

従来の心理学上の取り扱いでは、永続的な一夫一妻関係以外での性行動は、何らかの発達上の問題と結びつけられる場合が多かった。例えば、複数の相手と性行動を取ろうとする人は、不安定な愛着スタイルを持っているのだと考えられた。そしてその原因は、親が離婚、再婚するなど、生育した家庭環境が不安定であったというような環境要因に帰せられることが多かった。

これに対し、進化適応を人間の行動の基盤に想定する心理学では、価値判断を排除して行動パターンを分析しようとする。多くの人と性的な関係を持つ人が、虐待された反動など、病的な状態にあるとは必ずしも言えない【74】。男女ともに、長期的な性関係を指向する場合も、短期的な性関係を求める場合も、それぞれに適応戦略的な機能があるものと考えられた【72】。

このように、適応主義を前提とした心理学が進化心理学であり、多くの成果を挙げたことは間違いない。

では、同性愛の存在も、従来の生物学的な観点や進化心理学だけで十分に説明できるのだろうか？

Part 3
生物学的説明の限界

同性愛の進化的な説明

同性愛の存在の進化的意義についても、早くから検討が行われた。同性愛者はいずれの文化にも少なくとも一定数は存在する。さらに、男性同性愛に関しては親族内で複数人見つかる傾向があること、そして双子研究の結果から、要因遺伝子の存在が想定された【76, 77】。

そのため、自ら子孫を残しにくいにもかかわらず、遺伝子プール内に行動形質が存続する理由として、2000年の時点で既に複数の理論が検討されており【78】、その後も発展を続けた。

1. ゲイ当事者は、自ら子を作ることはないが、**親族の子の養育を助けることによって、遺伝子を残しているという、血縁淘汰説**【79-82】。
2. 男性においてゲイの要因となる遺伝子は、女性親族の中で発現するならば、魅力や生殖能力を上げるなど、繁殖成功度の上昇に寄与しているとする、**多面発現による平衡淘汰説**【83】。
3. 同性間の性行動は、同性との連合を維持するために行われているという、**「繁殖**

戦略ではなく生存戦略」説【84】。

しかし1．と2．の説明に関しては特に、その後の研究により、**同性愛の要因の遺伝的背景はそれほど単純なものではないことが明らかになった**【85】。というより、同性愛に限らず、世の中にありふれたさまざまな個体差のある特徴に対する遺伝の作用が、当時想定されていたよりもはるかに複雑であることが分かってきたのだ。

遺伝子による行動の説明は難しい

日常的に見られる個人差のほとんどは、非常にたくさんの要因遺伝子の影響を受けている。

手持ちの要因遺伝子のセットは、近親者の中では確かに共通するかもしれない。これは双生児法という、家族を比較して遺伝的影響を評価する方法で得られる遺伝率に相当する。この方法で示される、男性同性愛の遺伝率は5割程度である。

しかし、要因遺伝子のセットは、他の家族あるいは、他の民族とはだいぶ異なっている【86】。こちらは、ゲノム内のDNAをすべてスキャンして行動の個人差と関連する部分を抽出しようという、最近の研究方法で明らかになってきたことである。すなわち、さまざまな人の間で共通する、影響の強い「ゲイ遺伝子」はなかなか見つからない。

動物実験では、一つの遺伝子の操作によって決定的に性的指向が変わる例が示されることがある。そんな遺伝子は、確かに子孫を残すのに不利だから、集団から除かれやすいはずだ。

単純化したイメージでいうと、ありふれた遺伝子によるありふれた行動の多様性への影響は、300枚くらいのカードで1セットとなるトランプのデッキを使って、ジョーカーを入れてポーカーをやっているようなものである。各札は、性行動の取り方と何らかのかかわりのある遺伝子である。しかし、一枚一枚の威力はおおむね小さい。

配られた手札の組み合わせがうまい具合にそろうと、強い役ができる——同性愛者になる確率が上がる。だがシャッフルとゲームを繰り返して、つまり別の人間と比較して、上がった役と見比べてみたとき、同じカードが含まれている可能性は高くない。何しろ、カードは300種類もあるのだから。

動物実験で見つかる遺伝子は、珍しいジョーカーのようなものと言える。ジョーカーが入っていれば、強い役を作りやすくなる。しかし、もともとの役の強さの比較、すなわち一般的な遺伝子プールの中でどれが同性愛行動と関連性が強いか、を明らかにすることは別の話である。

ゲイ遺伝子を追え！

ヒトの同性愛についての従来の進化的な説はおおむね、同性との性行動を特定の個人に選択的に指向させる、関連遺伝子群があるはずだという想定にもとづいていた。だが、現在から考えると、このような「同性愛の素因遺伝子」の想定は、かなり話を単純化していたことが分かる。

ダーウィンの時代はもちろん、遺伝子の存在自体がはっきりしていなかったが、1970年代にリチャード・ドーキンスが『利己的な遺伝子【58】』を書いた時にも、行動の個体差に関係する遺伝子は明らかにされていなかった。ホルモンや神経伝達物質が行動を変化させることは知られていたため、見た目や行動の個体差を生じさせる遺伝子の淘汰のプロセスは、ホルモンや神経伝達物質のはたらきをイメージしたアナロジーとして想定するしかなかった。

ヒトの心の個人差をもたらすと考えられる遺伝子が、同定されるようになったのは1990年代である。1990年にドーパミン第2受容体が稀なタイプの多型（遺伝子組成のわずかな個体差）であると、アルコール依存症になりやすいという報告がなされた【87】。受容体とは、神経伝達物質やホルモンが作用するために必要な結合部位のことである。それぞれ結合する物質の分子構造に合わせたタンパク質の複合体が、鍵（結合物質）に対する鍵穴（受容体）の役割をにない、細胞の表面などに発現している。有名な、ドーパミン第4受容体の多型が新しい物好きの性格特性をもたらす、という報告は1996年である【88，89】。

ゲイ遺伝子がX染色体の末端にありそうだという報告はこの間、1993年にディーン・ヘイマーらによりサイエンス誌に発表された。男性の持つXYの性染色体のうち、Xは必ず母親に由来する。また、心身を男性化する男性ホルモンの受容体も、X染色体上にあることが分かっていた。

当時としては王道かつ緻密な家族法による「連鎖解析」で、男性同性愛者が同じ家系に集中しているという観察から、男性親族ではなく女性親族を通じて継承されていそうだということを絞り込んだ。連鎖解析とは、関心のある特徴と遺伝子の特徴が一緒に出現するパターンから、遺伝子の染色体上の位置を調べていく方法である。

母方親族を通じて遺伝することが推定できれば、Y染色体も常染色体も関係ないから、X染色体だけ調べればよい。X染色体を22の領域に区切り、マイクロサテライトという塩基の繰り返しが見えやすいところを目印として、ゲイの兄弟が共有していそうな遺伝子のある場所を、X染色体の上で調べていく【77】。その結果みごとに、X染色体長腕の末端Xq28に、ゲイの兄弟間で共有率が明らかに高い、責任部位と思しき場所が発見されたのだ【77, 90】。

この発見はヨーロッパにおける同性愛の犯罪化以降、同性愛は個人の罪ではなくて自然の多様性であるという根拠を探していた、当事者とその支援者から歓迎された。一方で、同性愛の関連遺伝子が見つかることにより、将来的に出生前スクリーニングが可能になると、遺伝子を保有している胎児の選択中絶を行う親が出てくるのではないかという、懸念も生まれた。

しかしその後、いくつかの追試が行われ、ヘイマーと同じ結果は得られなかったという報告が続いた。当時の遺伝子解析は基本的に手作業であり、アタリをつけた遺伝子部位ひとつひとつを対象に検証を行っていくしかなかった。大量のサンプルを処理することも不可能だった。

ヘイマーの発見はまぐれ当たりだったのかもしれないし、特定の人口集団の中で、たまたま類似の素因によりゲイになるケースを引き当てたのかもしれない。ヘイマーが研究を発表した時代、何らかの特徴をもたらす遺伝子の同定は大変困難で、乾し草の山の中から針を拾うような取り組みであった。大変な根気強さとまぐれ当たりが両方はたらかないと、意味のありそうな結果を得ることは難しかった【89】。

しかし、2003年に完了したヒトゲノム計画はDNA解析の大幅な自動化をもたらし、遺伝子部位のみならず、遺伝子の配列を読む方法が急速に普及した。何しろ、コンピューターチップの低価格化よりも、遺伝子解析の低価格化の方がはるかに速かったのだ。連鎖解析も、家族歴を調べて関係のありそうな染色体部位にアタリをつけるという方法ではなく、膨大な人数を被験者とし、ゲノムも一人分丸ごと読んで、全染色体から関連のありそうな遺伝子部位を一括で探すという方法にシフトしている。これをゲノムワイド関連分析（genome-wide association study: GWAS）という。

GWASで改めて同性愛に関係しそうな遺伝子を調べたところ、ヘイマーの指摘したXq28の関与を再認した報告がある一方で【91】、最近のもっとも規模の大きい調査では、関係性を見出すことができなかった【85】。これが何を意味するかは次の節で述べる。

なお、「同性愛者」の定義を社会環境の影響を受けやすい指標にもとづくものに変えるならば、生物学的な影響を少なく見積もることが容易になることに注意したい。操作的定義が異なれば、研究結果が違ってくるのは当たり前である。

行動遺伝学いまむかし

行動遺伝学の基礎をうち立てたフランシス・ゴールトンは【53】、詩人や音楽家、科学者など分野別に、傑出した業績で知られる著名人の家系を調べた。例えば、バッハの親族は多数の音楽家が輩出している。ゴールトン自身も親族である、ダーウィンの家系は医者や博物学者が多く輩出している、などである。

ウィキペディアを見ると、ダーウィンの親族には確かに、名前が載っている人物が多いことが分かる【註5】。有名人だらけなのである。もちろんこれは、イギリスが階級社会であったことにも起因しているが、どのようにしたら「同じ家庭で育った」という共有環境の影響と、遺伝的素因を分けて検討することができるだろう。

家族法の行動遺伝学では、研究者が調べようとする特徴を持つ人物が家族でまとまって現れる事例を集めていくことにより、個人差に及ぼす生育環境と、親からの遺伝的影響を分けて考えるように数式化していく。

*5 Darwin–Wedgwood family (https://en.wikipedia.org/wiki/Darwin%E2%80%93Wedgwood_family)

よく使われてきたのが双生児法である。一卵性双生児では遺伝子のセットは基本的に同じものを持っているので、一般のきょうだいと同じく遺伝子の共有率が50%である二卵性双生児と比較すると、親から継承した遺伝子による効果は2倍となるはずだ。たくさんの双子からデータを集めると、同じ家族で同じ年齢で育ったという共有環境により説明される部分と、もともと同じ受精卵だったということにより説明される部分とに分けて、それぞれの性質に対する環境と遺伝の影響の相対的な強さを比較できるようになる【92】。

この方法を用いると、指紋のパターンや身長、肥満度、音楽・スポーツ・数学の才能には遺伝の影響が強いことが分かる。注意したいのは、小学校の学業成績はまったく逆で、共有環境の影響がとても強いことである【93】。

こうした行動遺伝学のモデルでは、たくさんの遺伝子が、例えば身長を高くするという形質の発現にかかわることは想定している。しかしながら、どれだけ多くの遺伝子が一般的な特徴の多様性に寄与しているかについては、想像がついていなかった。

カリフォルニアのAというきょうだい間で共通する、衝動性という行動特性をかたち作っている遺伝子が数十から数百あったとする。その中で影響力が強く、動物実験でも想定されていた遺伝子αが個人差に及ぼす影響はせいぜい1〜5%である。

次に、ウィスコンシンにもBという衝動性が高いきょうだいがいるとする。だが、彼らの衝動性の素因となっている数十から数百の遺伝子の中に、その影響力が強いはずの遺伝子αが含まれているとは限らない。

ヘイマーのゲイ遺伝子が、その後の大規模調査で必ずしも追認されなかった原因はこのようなものであると思われ【註6】、生物学や行動学研究の難しさの本質もここにある。

メンデルの豆のシワはそんなにややこしくなかったではないかと思われるかもしれないが、**あれはたまたま、一つの遺伝子により明白に見た目が変わるケースにヒットしただけである**。ダーウィンもシロイヌナズナという植物を用いて類似の実験を試みていた。しかし、この植物の遺伝は単純なものではなかったので、遺伝の継承の仕組みを明らかにすることはできなかった。

ヒトの形質において、はじめて連鎖解析により関連する遺伝子座（染色体上の大まかな存在位置）が同定されたのは、1983年である。ハンチントン病という身体のコントロールが利かなくなり、若年で死に至る神経疾患においてであった。

*6 他にも、素因を持っていそうな人が調査対象から除かれていたりする、という問題もある【94】。また、社会情勢が異なるならば、行動の発現に対する遺伝的影響の説明率も変わる。

その後、ポジショナルクローニングという方法を使って1993年にその遺伝子自体の同定が行われる。ベネズエラにこの病気を持つ大家系が見つかり、150人の国際チームが10年かけて遺伝子を見つけたのである。この病気では同じ塩基パターンの繰り返しの伸長がエスカレートすることにより、必ず発病につながる。ハンチントン病は、たまたま、当時の分析技術でも同定することができる特徴を持っていたのである【89】。

持っているとたいていは子孫を残さず死ぬような遺伝子があったとすると、その遺伝子は集団から除かれやすいので、そうした素因を持っている人は非常に稀なはずだ。日本におけるハンチントン病患者は、全国に900名ほどである。

同性愛者は少なく見積もっても2〜3%はいるので、比較的ありふれた個人変異であり、ありふれた多種多様な遺伝子の組み合わせがその素因として貢献しているはずである【86】。

ホルモンによる性の両義性説と行き詰まり

発達初期の性ホルモンの操作により、動物における性別と関係が深い行動に影響が及ぶことについては、20世紀前半からの知見の積み重ねがあった【33】。

出生直後のマウスやラットでオスを去勢すると、成長後女性ホルモンを投与することにより、メス型の性行動を示すようになる。逆に、メスの仔に早期に男性ホルモンを投与すると、オス型の性行動を示すようになる。

同様の実験はアカゲザルでも行われた。遺伝的にメスの仔が胎児のうちに母親に対して投与した男性ホルモンは、出生後の遊びのパターンや性行動をオス的にする効果があった。

これらの知見をヒトにも適用し、主に出生前の「非典型的な」性ホルモンの作用が性にまつわる個人差にもたらす影響について、議論が続けられてきた【95】。性的マイノリティの生物学的基盤の存在が一般にも知られることにより、現代の欧米ではマイノリティを可視化し、社会的地位を高めることに一定の寄与をしたと考えられる。

しかし、特にトランスジェンダーと性ホルモンや遺伝子のはたらきとの関係は、スッキリと説明ができなかった。そして、レディー・ガガの曲にあるように"Born this way（性的マイノリティであることは、生まれつきである）"であると考えられてきた同性愛性的指向についても、途中で変化する例が指摘されるようになる【96】。さらに、これまで責任脳部位が異なるとされてきた、性的指向と性自認との間にはそれほどはっきりとした違いがないのではないか、という指摘もなされるようになってきた【97】。

研究手続き自体に対する深刻な疑義も挙げられる。

２０１０年代、医学・生物学や心理学分野を中心に「再現性の危機」問題が明るみに出る【98】。これまでトップジャーナルに掲載されてきた、すなわち他の研究者による査読を通っている、質が高いと考えられてきた研究論文でも、再現性が著しく低いと報告されたのである。

その当時先進的でデータ取得が困難だった調査に関しては、ヒトを対象とした研究では特に、少ないサンプルサイズで結論を導き出している傾向がある。また、行動を含む生物現象は関係する要因が非常に多岐にわたるので、関係する指標があらかじめはっきりしているわけでもない。だから、面白そうな関係性が発見されるまで統計処理をいじってしまう慣行につながり、疑わしい研究報告が多くなされる結果を招いた。

また、女性や性的マイノリティのエンパワーメント活動も活発さを増していた。その結果、心身の性別および性差を実在するものとして扱う、生物学的アプローチ自体が深刻なバッシングの標的にされるにいたっている【99-101】。生物学的立場では、「性」を完全に二分的に扱うことは少ないにしても、連続性の両端には実在している重要な要因として扱うからである。また、研究結果が一般社会に伝わるときには、性別二元論的、異性愛的な部分の主張の面白さが強調されやすい。

ジェンダー＝社会的な性、という定義は妥当か？

現在は、進化生物学研究者の内部でも、**性淘汰理論が雌雄の二元論や「生殖のための性行動」という考え方にとらわれすぎているのではないか**、という声が大きくなっている。

進化生物学者で、トランスジェンダーでもあるジョーン・ラフガーデンはその急先鋒である。彼女は、性淘汰理論から波及した性にまつわる適応主義の研究成果のほとんどを棄却すべきだとしている【102,103】。特に、トリヴァースの「親の投資理論」から波及した、性差研究の妥当性を問題視している。

ラフガーデンをはじめとするジェンダー批判的な生物学者は、性や性行動を最初の定義から見直す必要性を主張している。同業者にとっては、最初はかなり受け入れがたい提案なのではないかと思う。

しかしいったん立ち止まり、文化的・歴史的な振り返りをもとに、ジェンダーとセックスとの切り分けの妥当性を見直してみよう【104】。

ジェンダー＝社会的な性、セックス＝生物学的な性、という用語の使い分けが生じるきっかけは1950〜60年代にさかのぼる。心理学者の間で、トランスジェンダーへの医療的サポートのニーズが高まったことに起因している。それまでは、「ジェンダー」は文法上の性をあらわす言葉にすぎなかった。そして、ジェンダー＝社会的な性、に対してもも「セックス」の語が使われていた。そのため、自分に割りあてられた性別への違和感を持つ人もトランスセクシュアル（性転換症）と呼ばれていた。

人間的にいろいろ問題があったものの、当時の性科学の第一人者であったジョンズ・ホプキンズ大学のジョン・マネーは性の解放を訴え、性的マイノリティへの医療的サポートの方針を確立するために尽力した。マネーと共同研究者らは、もともとインターセックス——非典型的な性発達を示す人たち——に対する医療と研究を中心的に行っていた。その中で1955年に、人が外部に**表現する**男性性、女性性を示す行動や発話の総体を「性役割（ジェンダー・ロール）」と名付けた【105】。ジェンダー・ロールはジェンダー・アイデンティティよりも広い概念である。「内面における性役割の経験」がジェンダー・アイデンティティであるとしていた。

ジェンダー・アイデンティティ（性自認）という言葉を、「心理的な性や性的なアイデンティティ」を意味するものとして1964年に最初に使い始めたのは、精神分析家のロバート・ストローラーである。マネーのジェンダー・ロールはインターセックスの子どもの医療の文脈で用いられており、一般的な用語としては広まらなかった。後にジョ

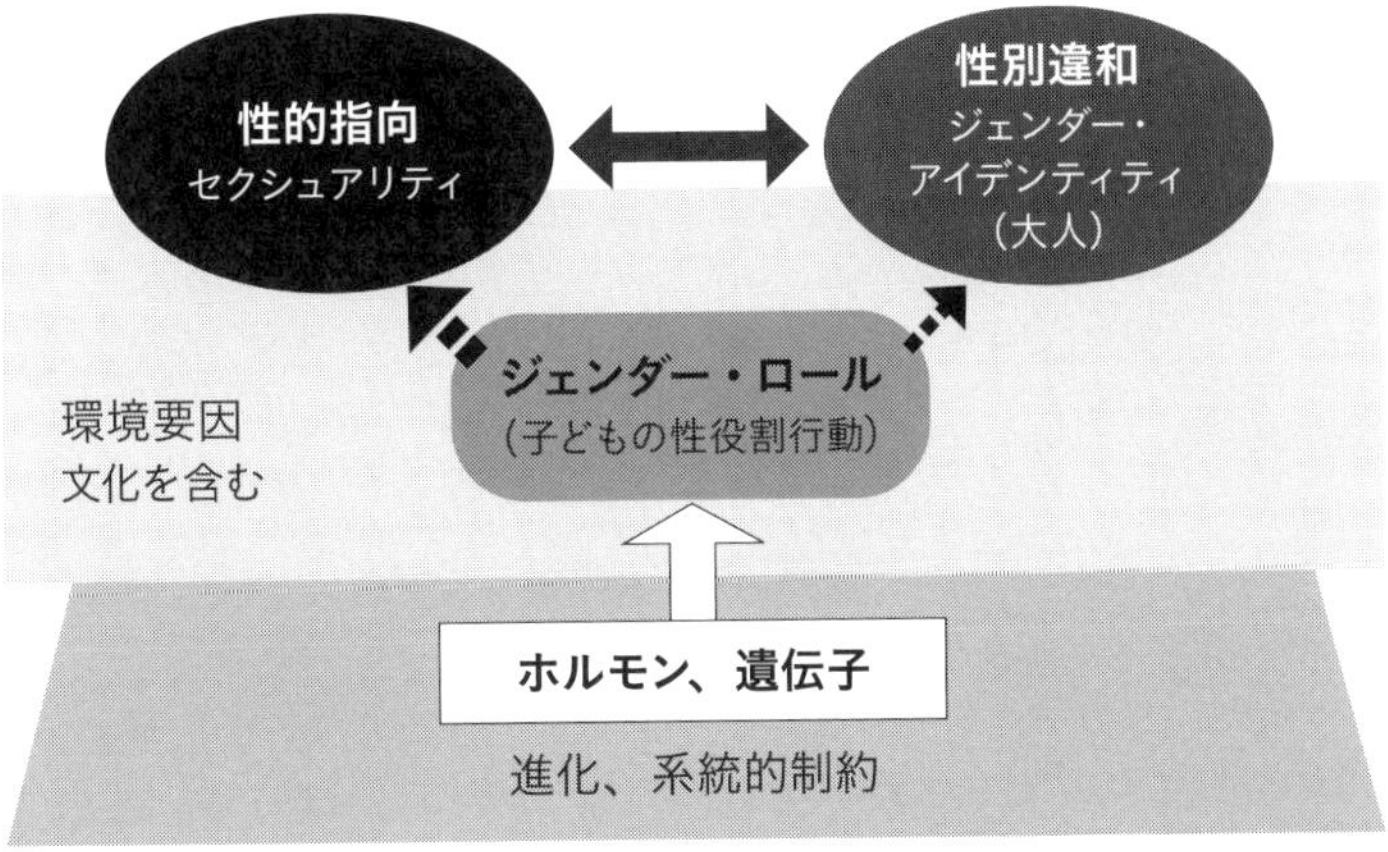

図2　ジェンダーとセクシュアリティの発達モデル。胎児期男性ホルモンの影響は、子どもの遊びの好みに現れる

ン・マネーや性科学者ハリー・ベンジャミンもジェンダー・アイデンティティという言葉を取り入れ、使うようになった。社会科学的な意味合いを持っていたマネーの「ジェンダー・ロール」は、精神分析学的な自我同一性理論にもとづく「ジェンダー・アイデンティティ」に吸収されてしまったのである。

これらの研究者の間で、性別違和が生じるプロセスについての意見は一致していなかった。成因論の相違にもかかわらずジェンダー・アイデンティティという言葉は共通して使うことができたので、性別違和状態を説明する言葉として「ジェンダー」が定着した。

その後１９７０年代以降に社会科学者

が、性差を文化、社会的に構築されたものとして扱うためにジェンダーという言葉を取り入れ、使うようになる。

本書で提案する「生物学的なジェンダー」は、マネーの当初のジェンダー・ロールという概念に近い。**性自認の説明に使われるジェンダーよりも広い概念である。**性や社会行動の包括的な多様性を、文化的な現象のみをあつかうものであるというイメージから引きはがし、生物学的／文化的、という二分法を超えて、とらえることを目的としている。性自認としてのジェンダー（ジェンダー・アイデンティティ）や、性的指向（性行動の指向性）はそれぞれ、広義の「生物学的なジェンダー」に内包されるひとつの要素である（図2）。

これらの用語の捉えなおしによって、動物とヒトの社会における多様な性社会行動を、連続して説明しやすくなる。

雌雄二元論ではない生物学への試み

19世紀末～20世紀初頭に、性分化のしくみやホルモンのはたらきを研究していた生物学者や、多様なセクシュアリティを分類していた性科学者は、雌雄の性を連続的なものとしてとらえていた。19世紀には、ヨーロッパでも一般社会の人たちは、生物学的に典型的な男性と女性がどういうものか知るすべがなかった。そして非ヨーロッパ圏では性別越境的な存在は社会的に許容されていたし、男女のどちらかの分類に押し込めないといけない、という通念も乏しかった【106,107】。

その後20世紀を通じて、生物学的な性の定義と、社会的な解釈や要請との相互作用が続く。**その結果、生物学的な性は、はっきりと分かれて固定された、オスとメスの2パターンがあるという通念が社会にも研究者にも浸透してしまった。**

研究者もそうした固定した観点から出発するのが当たり前になることで、多様で興味深い生物学的な現象の発見や説明が妨げられているのではないか。それが、ラフガーデンの「親の投資理論は棄却すべき」という主張のこころであると思う。

これまで身近で意味づけしやすかった哺乳類や鳥類の生態や、扱いやすいマウスやラットから目をはなして、魚類や両生類、無脊椎動物にまで視野を広げて性のありさまを眺めてみよう。すると、**性の割り当ての仕方が固定していない例が多い**ことに気づくだろう。環境の変化に対応して異なる行動セット（「生物学的ジェンダー」と言ってもよいだろう）が取捨選択されている生物の方が一般的なのだ【16】。

これまでの生物学的な観点では、セクシュアリティつまり性行動のありかたは生物学的な問題であり、ホルモンや遺伝子による影響が強い、とする【108,109】。そしてジェンダー、すなわち自分の性別認識の方向性も基本的には生物学的に影響を受けて決まるが【110】、その表現の内容は文化的な現象である、としていた。

確かに、こういった従来の見方からすると、子孫を残すことに直結しない同性間の性行動については生物学的な説明が必要であることになる。

だが、果たしてその前提は正しいのだろうか？

わたしはこの問題について論じる前に、まず雌雄の二分法のみならず、セックス・セクシュアリティ＝生物現象、ジェンダー＝文化現象、という従来の二分法をアップデートしたいと思う。

従来の分類では、セクシュアリティ表現に対する文化的な影響を可視化しづらい。さらに、ジェンダーとは文化環境のみによって規定される、人間特有の現象であるような印象を与える。

本書では、**生物学的・文化的に見ると、性表現には連続性があるという記述の方が普遍性を持っている**ことを示す。そうしたモデルの方が結果的には、さまざまな現象を包括的に説明しやすいのである。そして、特定の人間の文化でマイノリティの忌避がなぜ生じ、維持されてきたかについての説明を試みる。

性的指向と性自認それぞれに対応する神経核

男性に関する研究ばかりで恐縮だが、同性愛の生物学的基盤を示したとして有名な研究に、サイモン・ルベイによる、脳の奥深くにある視床下部間質核《ししょうかぶかんしつかく》（ＩＮＡＨ－３）の大きさが、男性同性愛者では男性と女性との中間程度であったとする報告がある【32】。実際は、トランスジェンダーの医療と研究で有名なオランダのシュワーブらがこれより先に、男性同性愛者と異性愛者との間で、形状の異なる神経核の存在を報告していた【111】。しかし、それは脳内で時計の役割をすることが知られている部位であり、性行動との関係性については明らかではなかった。

ルベイが差異を発見した部位は、男性ホルモンの制御を受けてオスの性行動を司る部位であることが、さまざまな動物の研究により既に知られていた【112】。それにより、ルベイがヒト男性同性愛の神経学的基盤を明らかにしたパイオニアとして知られるようになったのだ。

一方のシュワーブらも負けてはおらず、分界条床核《ぶんかいじょうしょうかく》という、扁桃体の近くに位置する神経核が、性自認すなわちトランスジェンダーか否かと関係していると報告した【113, 114】。こちらの大きさの違いは、性的指向とは関係がないという。

しかし問題だったのは、胎児期の非典型的ホルモン作用によると思われる、ジェンダー関連行動への影響は幼少期から見られることが多いのに対して、シュワーブらの見出したトランスジェンダーとかかわるとされる神経核の男女差は、思春期以降になって現れるという事実だ【115】。

胎児期の非典型的なホルモンバランスが、子どもの頃の性役割行動、すなわちおもちゃや遊び相手の好みなどに影響を及ぼすことは、内分泌疾患のケースや動物実験によって知られている【95, 116】。子どもの頃に好んだ遊びや服装が、ステレオタイプな男の子、女の子の好みからだいぶ外れている人たちは、成長後に非異性愛者になる可能性が高い。しかし、成長後に自らの性別割り当てに対する違和感が継続するケースはごく一部である【117】。

以上のことから読み取れるのは、幼少期の非典型的ジェンダー関連行動は、成長後まで持続する、ジェンダー・アイデンティティの違和感とは直接連続しない、ということだ（図2参照）。そして、性自認と対応するとされてきた分界条床核の特徴は、思春期以降の生理的もしくは、社会学習や環境との相互作用によって発達してくることを示唆している。

そのため、幼少期のジェンダー関連行動は、生物学的かつ包括的なジェンダーととらえると分かりやすい。もちろん、それがどのように表現されるかは環境や文化的なコンテクストに依存する。

一方で、成人後の性自認は、文化的文脈の中で身体と自己意識との接続を確立する過程で生じる狭義のジェンダー意識、として分けるのが妥当だろう。

これら脳の深部にある小さな神経核の個人差を調べるには、セクシュアリティや性自認が分かっている人の死後脳がまとまった数必要になるため、他の研究者が容易に追認できるものではない。ルベイが性的指向による違いを発見した視床下部間質核（ＩＮＡＨ）は４つの亜核を含んでいるが、その後の報告では、性的指向と関連するのが４つのうちどれかについて、結果は必ずしも一致していない【97】。

シュワーブのグループによる最新の報告によれば、ＩＮＡＨ－３はむしろ性自認が男性寄りか、女性寄りかと対応している【118】。脳の深部の視床下部【註7】を含む部位は大脳辺縁系と呼ばれる、進化的に古くからあり、いわゆる本能的な行動との結びつきが深い部位である。

*7 視床下部自体は間脳の中に含まれる。視床下部は、大脳辺縁系の中には入れない場合もある。

性的マイノリティの脳のはたらきには差があるのか

一方で、ものを文脈に応じて認識したり考えたりといった認知にかかわる処理は、大脳新皮質と呼ばれる、ヒトで巨大化している大脳のより表面側の方の担当である。例えば、どのような学問分野に興味を持つかといったことに脳の違いがかかわっているとすれば、大脳新皮質の方に差が見られるはずである。

胎児期の性ホルモンのバランスが男女の脳、およびセクシュアリティの違いによる脳の違いをもたらしている証拠として、左右の大脳半球間のつながりが女性およびゲイ男性の方が、異性愛の男性より強いという報告が多くなされた【119】。しかし、大脳半球間のつながりの強さは、認知の多様性をとらえるにはあまりにも大雑把であり、近年の調査では一貫した違いの傾向は見られないとするものが多い。

だが、MRI（核磁気共鳴画像法）の利用が安価になり、性的マイノリティの脳の特徴についても改めてデータが取られるようになった結果、性的指向の違いと脳のマクロな形状との関係は限られるが【120】、性別違和の有無――トランスジェンダーか否か――は大脳新皮質の広い部分と関係がありそうだ【121】、ということが分かってきた。

成長してからセクシュアリティが変わる場合がある

20世紀末の欧米では、セクシュアリティや性自認の大本は胎児期の性ホルモンや遺伝子のはたらきで方向づけられるという認識が広まっていた。そして、ヒトにおける性的マイノリティは、胎児期における脳の性分化が非典型的なケースである、したがって自然な生物学的多様性であるとする見方が一般的になっていた【33, 122, 123】。

こうした知見は、性的マイノリティは出生後の社会学習にもとづく道徳的退廃であり、倒錯であると主張する、宗教セクター側からの攻撃に対抗する根拠となった。理屈は、19世紀のウルリヒスの用いたものと同様である。自分たちは少数者であるかもしれないが、神が自分たちをこのように作ったのであるから、非難されるいわれはない、ということだ。

しかしながら近年、「生まれつきの多様性」という考え方に疑問を抱かせるケースも知られるようになってきた。**成人後にセクシュアリティや性自認が変わる**ケースである【96】。

性的指向が脳の深部にある視床下部に起因し、人格の根幹をなす生得的な特徴であるならば、人生経験や文化的影響により変化が生じることはそうそうなさそうに思われる。

だが、社会におけるゲイ・カルチャーの流行によって性行動やパートナー選択のパターンが変わるとしたら、同性愛は生物学的に組み込まれた行動パターンであるという想定にとっては不利に働く。

もっとも、女性の性的指向に関しては環境の影響があり、**ライフイベントをきっかけに異性愛と同性愛の間を揺れ動く**ケースが多いことは知られていた。

データ取得方法に関して批判も多いが、一般アメリカ人の性的経験について膨大なアンケートとインタビュー調査を行ったアルフレッド・キンゼイは、性的指向の年齢による変化にも着目していた。1948年と1953年に出版され世界的にセンセーションを巻き起こしたキンゼイ・レポートは、異性愛－同性愛の性的指向を連続する7段階で表現した。その際に、X－反応なし（アセクシュアル）も連続値外として定義の中に入れている。

独身女性における異性愛性的指向は20歳でピークを迎え、35歳を過ぎると異性愛は6割、両性愛・同性愛が2割、性的な関心なし、は2割であった【97,124】。

同性愛はマイノリティかもしれないが、同性間性行動はそうではない

キンゼイは男性の約半数は、成長のいずれかの時点で同性との性的接触の経験があると主張して、議論を巻き起こした【125】。**女性とは対照的に、男性における同性間性行動への反応性は10歳から15歳にピークを迎える**。この時点では3割弱が、もっぱら同性間の性行動に反応する。その後35歳くらいまで、異性愛への選択性の方が上昇して9割に達する。すなわち、**男性においては、異性への性反応は成人するにしたがって確立していく**ものである。

キンゼイは、年齢による変化を記述し、性的指向を、固定したアイデンティティというより異性愛と連続した流動的なものとしてとらえた。キンゼイはもともとタマバチの研究で知られた昆虫学者であり、データにものを言わせた真骨頂であると言えよう。

このような流動的な見方に対して、Part2の冒頭で見たように、欧米社会で「同性愛者」というカテゴリーが考えられたのは、19世紀のヨーロッパで同性間性行動を犯罪とするソドミー法への対抗策としてであった。ゲイ当事者活動家は、厳しい抑圧のもとでも、**同性を性的な対象として指向せざるを得ない個性がある**として、性的指向についての自然な多様性の存在を主張する必要性があったのである【33】。

ヨーロッパのキリスト教社会で同性愛に対する非難が高まってきたのは中世後期、自然神学の広がりと対応する。それ以前は、ローマ教皇が男性同士の婚姻を祝福した例もあった【27】。当時脅威となっていたイスラム社会は、男性奴隷や宦官を多く擁していたため、異教との差別化をはかる意図があったのだろう。

それまでヨーロッパによって範《はん》とされていた古代ギリシアやローマでは、同性愛が華やかな文化をかたち作っていたし、常にキリスト教社会が同性愛を敵視していたわけではない。

明治維新以前の日本も、ポリネシア・メラネシアといった南太平洋の伝統社会もそうである。そもそも、**同性間性行動に対する迫害や抑圧がない社会では、同性愛者というカテゴリーは可視化されない**。

そして、ある関心対象の特徴の発現に対して、遺伝の影響が強く出るか環境の影響が強く出るかは、その環境の多様性の程度に依存する。

たとえば、同性間性行動が一般的な社会では、年長者や性行動を導く（タチ）側は一般男性であり、特別な名称は付けられていない場合が多い。能動的な性交を行うことは、相手が男性であっても、通常の男性の性役割だからである。一方、肛門性交などでウケる側は若者が多く、男娼や、インドで祭礼や芸能の役割をになうヒジュラ、稚児といった特定の社会的地位と結びつけられていることがあった【126】。状況証拠から考えるならば、同性愛＝セクシュアリティ、性別違和＝ジェンダー、という二分は実態を反映していない。先に提案したモデルを用いて、ウケ側ゲイ男性は、性行動面でのジェンダー・ロールが女性的な人である、ととらえた方が妥当なのではないだろうか。

ネコとタチは一緒じゃない

女性同性愛に関しては、女性的な側（フェム）と男性的な側（ブッチ）との間で、性ホルモンレベルが異なるのではないかとする研究が、しばらく以前から行われていた。女性はもともとの男性ホルモン濃度は少ないので、男性ホルモン作用の上昇の影響が心身にあらわれやすい。女性同性愛については、胎児期の男性ホルモン濃度の高さと対応するとされる指の長さ比や【127】、唾液中の男性ホルモン濃度【128】、男性性の強さを示唆するとされる心身の特徴【129】との関連性が示唆されている。すなわち、性行動でも攻め側になるブッチは、胎児期や成人後における男性ホルモンのはたらきが相対的に強い傾向がある。

指の長さ比というのは、胎児期の男性ホルモン作用の強さ、すなわち脳の男性化の程度が成長後の指の長さを測ることで推定できるというものである。右手の手のひら側を見て欲しい。指をまっすぐ伸ばして、人差し指と薬指を、指の付け根のシワから指先まで測る。人差し指／薬指の長さを計算すると、男性では1より小さいはずだが、女性では1に近くなる。そして、この値が小さいほど男性的だ、というのである。この指標を2D：4Dという【130】。

一時期、生物系のバックグラウンドをもとにヒトの行動を扱う学術雑誌が、指の長さ比と他の指標との関連性を調べたとする論文であふれたことがあった。しかし指の長さ比に影響を与える要因には、民族的なバックグラウンドをはじめ、ホルモンと関係のない個人差も多いため、大変にノイズが多い。大量のデータを集めた調査も多いが、関係があったとする報告と、関係がなかったという報告が拮抗している【131】。

女性同性愛の研究の流れに対して、男性同性愛者では内分泌指標の違いは明らかではなかった。そのため、男性同性愛は一つのカテゴリーとして認識されてきたし、トランスジェンダー、すなわち性自認の問題とはまったく別であるとされてきた。

しかし前節で見たように、近代の西洋化以前の社会を見るならば、同性間の性行動自体は特別なことではない。そして、攻め側（タチ）とウケ（あるいは、ネコ）側の社会的役割は相当異なっていた。

近年は、男性同性愛の中での性役割の違いに着目した、生物学的観点からの研究が増えてきている。ウケ側のゲイ男性は身体に対する満足度が低く、性別違和のスコアも高いことが示されている【132, 133】。これに対し、タチのゲイでは、異性愛者と比較して男性ホルモンの作用をより強く受けているのではないかという指摘もある【108, 134】。

まとめると、同性を性行動をとる多くの人に共通する要因としての、少数の「ゲイ遺伝子群」や神経生理学的特徴はなさそうだ。そうではなく、**性行動そのものよりも、ジェンダー関連行動全体に対する生物学的な影響を考える**方が妥当に見える。

そして、「自分自身の性をどう認識するか」という、狭く一般的な意味でのジェンダー・アイデンティティは、性的指向と同様、ジェンダー関連行動の多様性の現れの一側面としてとらえるべきだろう。

Part 4
ジェンダーの生物学

一つの性に複数の性役割が存在する

行動生物学者はこれまで、「ジェンダー」という言葉の使用を避ける傾向があった。この言葉からは、文化や言葉の影響を重んじる人文社会学的なアプローチが示唆されるためである。

それはつまり、**行動生物学では、性に関する身体的特徴や行動パターンは一連のものがあらかじめ定められていて、ホルモンや遺伝子のスイッチにより違いが引き起こされる**と考えられていたからでもある。繁殖期のトゲウオに赤いものを見せると、なわばり維持のための攻撃行動が引き起こされるような、生得的で変更が利かないイメージである。

しかし、性にまつわる行動セットがオス－メスに二分されて固定したものではなく、環境によって柔軟に変容することを示している研究者の中では、**ヒト以外の生物にもジェンダーを想定する**ケースが出てきている。生殖行動はジェンダー関連行動の中の一つの様相であると考えればよく、必ずしも外見や他の行動セット、あるいは生殖腺の状態と一致するとは限らない。

サケ科の魚では、なわばりを持てない弱いオスの中には、まるでメスのような身体的

図3　Farrell et al. (2013) BMC Genetics. 画像編集済み。
https://www.researchgate.net/publication/258822235_Genetic_mapping_of_the_female_mimic_morph_locus_in_the_ruff

図3　オスのエリマキシギの外見には多くのバリエーションがあるが、行動の違いと対応して3パターンに分類される

図4　エリマキシギのサテライト型オス（右）が羽冠を広げているところ

図4　Arjan Haverkamp.
https://commons.wikimedia.org/wiki/File:Philomachus_pugnax_-Diergaarde_Blijdorp-8c-2.jpg

特徴を持ち、普通のオスがメスと交尾する間際に割り込んでこっそり放精する「スニーカー」、すなわちメス擬態型のオスが存在することが知られていた。古くから動物行動学のテキストに載っている例である【135】。こうした例もジェンダーの多様性としてとらえることができる。

鳥の仲間でも、一つの性に複数のジェンダーが含まれているケースがある。ユーラシア大陸北部に棲むエリマキシギでは、なわばりを守る典型的なオスは黒い羽で体を包んでいる。だが、派手な白い襟巻をつけた、まるでドラァグクィーンのようなオスもいる。彼らは、典型的なオスの隙を見てメスと交尾しようとするためサテライト型と名付けられている。さらに数は少ないものの、シンプルで短い茶色の羽毛を持った、ほっそりとしたメスと見分けがつかないメス擬態型のオスも存在する。メス擬態型も、なわばり型オスの隙をうかがってメスと交尾する（図3・4）。

エリマキシギのオスのこういった外見や行動の変化は、超遺伝子と呼ばれる非常に長い遺伝子のセットが、男性ホルモンの活性変異を生じさせた結果である【136, 137】。

ヨーロッパチュウヒというタカ科の鳥でも、オスの3分の1強はメスとよく似た羽色を持っており、カップルとして保持しているなわばりに入ってきた、よそのメスをライバル視して攻撃さえする。すなわち、外見のみならず行動もメス化していることになる。

このタイプのオスは、他のオスからの攻撃をかわし、自らがメスに近づきやすくなるのだと、研究者は理由づけている【138】。

一生の間で性役割が変わる

脊椎動物の中でも哺乳類以外のグループでは、オス不要でメスのみで子孫を残すことのできる単為生殖（parthenogenesis）の例が、80種ほどで確認されている【註8】。「parthenogenesis」はパルテノン神殿の、「パルテノン」（処女、未婚の乙女を指す。処女神のための神殿だったからとも、処女が仕えたからとも言われる）と語源は同じ。乙女が身ごもるわけである。

*8 哺乳類と被子植物では、生殖細胞が減数分裂して、精子や卵子のもとができるときに、それが父由来か、母由来かによって一部の遺伝子の発現パターンに修飾が施される。これをゲノム・インプリンティングという。これらの生物では、単為生殖は不可能である。哺乳類で体細胞クローンを作るのが難しかった原因もここにあるのだが、近年はゲノム・インプリンティングの仕組みを操作することにより、卵子2つ、もしくは精子2つから受精卵を作成し、発生させることが可能になっている。

例えばコモドオオトカゲ【139，140】や、シュモクザメをはじめとするさまざまなサメ【141】は、メスのみで子を作ることができる。シロボシテンジクという小さなサメでは、2世代続けて単為生殖を行ったことが確認されている【142】。

アメリカ合衆国のニューメキシコなどに棲むハシリトカゲ類のうち、3分の1の種はメスしか存在せず、メスのみで子孫を残す。しかし、女性ホルモンの周期に応じてメス役とオス役を交代して疑似的な交尾行動を行わなければならず、その刺激により産卵する【143】。

適応論的には、精子の方が産生コストが少なくて、メスとして卵を供出することはエネルギーコスト的に負けになるため、雌雄同体の生物では双方がオスの役割を取ることを目指して争うとされている。

英語では、「雌雄同体」と「両性具有」は同じ語（hermaphrodite）であらわされる。これはヘルメスとアフロディーテの両方の身体的特徴をもつ、ギリシアの神話的人物に由来する言葉だ。

軟体動物では、一つの個体がオスの生殖機能とメスの生殖機能の両方を備えている雌雄同体の種が少なくない。「角だせ槍だせ頭だせ」の童謡で知られるカタツムリは、恋の矢、というよりも剣のような「恋矢《れんし》」で交尾の時に互いに体を突き刺し合う。相手の寿命を縮めてでも、自分の精子の受精率を高めるためである【144】。

雌雄同体生物の生殖でのオス役をめぐる争いの例としては、海にいるウミウシに似た、数センチメートルのカラフルな生き物である、ヒラムシのペニスフェンシングも有名だ【145-147】。ヒラムシは軟体動物よりも単純な構造をしており、コウガイビルやプラナリアに近い生き物である。交尾の際には、腹側から1対の2本のペニスがにょっきりと立ち上がり、相手の体に突き刺そうと争う。

突き刺す先はどこでもよい。撃ち込まれた精子は、相手の体の中を移動して卵に到達する。

脊椎動物も性転換する

軟体動物などと比較すると、脊椎動物は系統的にはずっとわたしたちに近い。体の体節を構成する遺伝子や、脳の基本的な構成、ホルモンを用いた性にまつわる特徴のコントロールも共通している。一方で、その原初的な形態では、**性を決定する仕組みは固定されず、ライフステージや環境に応じて変化する**流動的なものであったことが示唆される。

魚類は現時点で3万6000ほどの種が名付けられているが、そのうち500種ほどが雌雄同体である。熱帯のサンゴ礁に住む魚に多く、水族館などでおなじみの顔ぶれも含む。日本での研究も盛んで、桑村哲生著『性転換する魚たち──サンゴ礁の海から（岩波新書）【148, 149】』で概要を学ぶことができる。

多くは成長に従って性別が変わる隣接的雌雄同体だが、精巣と卵巣を同時に持っている同時的雌雄同体の種も存在する。ペアを作り、オス役とメス役を一日のうちに互いに交代する「卵の取引」を行う魚もいる。カリブ海に住むハタ科のハムレットは一日4〜5回、チョークバスは20回ほども、性役割を交代する。

成長に伴って性別が変わる魚では、先にメスを経験し、後にオスとなる雌性先熟の方が種類は多く（図5）、群れの中で一番大きい個体のみがオスとなるホンソメワケベラ、年齢を重ねて体が大きくなるとオスになるブダイ【註9】やサクラダイが知られる。ちなみにホンソメワケベラは他の魚の体から寄生虫をついばむ掃除魚の代表格で、近年は大阪公立大学の幸田正典の研究により、鏡で自分自身を認識できる、高度な認知能力を持っていることが示されている【150】。

オスを先に経験する魚としてはクロダイや、ディズニー映画『ファインディング・ニモ』で有名となったクマノミが挙げられる。

クマノミはイソギンチャクの中に隠れてコロニーを作る。イソギンチャクは毒を持つ刺胞で魚を捕らえて食べてしまうのだが、クマノミは毒棘から体を守る術を心得ていて、むしろイソギンチャクをシェルターとして利用している。これは他種共生の例でもある。

彼らの中では、なわばりを防衛する**もっとも体の大きい攻撃的な個体がメス**である。メスは群れの中で2番目に体の大きい個体、すなわちオスの中で一番大きい個体と交尾して産卵する。

図5　ベラ科のコブダイは、一定の大きさと年齢に達するとメスからオスに転換し、ハーレムを激しく防衛するようになる。オスは頭部にコブが発達する

では、コロニーからメスを取り除いたらどうなるだろうか？

一番大きいオスが、群れをまとめるメスとなるべく性転換をはじめるのだ。性転換開始後はなわばり保持行動など、メスに特徴的な行動をすぐさまとり始めるが、体内の性ホルモンレベ

*9 ブダイはブダイ科で、ベラ科のコブダイとは異なるが、互いに近縁で見た目も似ている。いずれも雌性先熟。

図5　Adobe Stock, Asian Sheepshead Wrasse Posing Underwater, 作成者 Martin

ルはオスのままである。

性転換をはじめたクマノミの体の中で、精巣の組織が退縮して卵巣に置き換わるのには6カ月ほどかかる。すなわち、**生殖腺とホルモン上の性転換に先行して、行動−脳の性転換が起こっている**ということである。メスに性転換中の個体も、他のなわばりを保持しようとするメスからはライバルと見なされるため、他個体からの社会的認知も、先行してメス化していることが分かる。

性転換がさらに素早い例として、ベラ科のブルーヘッドラスの性転換の仕組みが詳しく調べられている。こちらは雌性先熟であり、コロニーからオスを取り除くと、一番大きなメスが数時間のうちにオスとしての行動を示し始める。この段階では、クマノミと同様に性ホルモンはまだ変わっておらず、ストレスホルモンとして知られるコルチゾールが行動変容の引き金となっている。次いで生殖腺と性ホルモンの変化が起こり、精子も形成するようになる。オスになることを決めてから、完全にオス化するまで要する期間は20日以内である【151, 152】。

これらは、ヒト語でインタビューをすることができない動物においても、**生殖と社会的な性認知とを分けて調べられる**例となる。

さらに、性役割の移行が起こるのは、身体的な特徴や、身体的なディスプレイのみではない。性役割に付随する、より複雑な認知や社会学習の機能も移行する例を見てみよう。

性役割の揺らぎ

パプアニューギニアやオーストラリアに生息するアズマヤドリ（ニワシドリ）は、身体の境界を大きく越えた構築物を「延長された表現型【153】」として作ることにより、周囲の環境や、他の個体に影響を及ぼす好例として知られる。

オスは、メスを惹きつけるためだけに装飾的な巣を作る。鮮やかな青色の美しい羽色を持つアオアズマヤドリの巣は、近縁種の構築物と比べるとかなりシンプルな枯れ枝のアーチだ。それを各所から集めてきた青色の小物で装飾する。メスは落ち着いたウグイス色の羽色をしている。

オスのアオアズマヤドリは若いうちはウグイス色をしていて、メスに擬態している。見た目のみならず、大人のオスからの求愛を受けたり、他のオスから青色の装飾物を盗んできたりという、大人とは異なる役割行動を取る。メスの性役割を経験しておかないと、将来オスとしての求愛行動を十分に果たせないかのようである【16,154】。

哺乳類では一生の間で性を換えるものは少ないものの、メスのモグラは1年のうちに生殖腺の様相を変える。クマノミと同じように、生殖腺は「卵精巣（ovotestes）」という形態をとっている。横長の饅頭のような形で、卵巣と精巣が接する形でくっついている。繁殖期に卵巣がふくらむが、1年の中で卵巣が必要な時期は短い。用が済むと卵巣は縮み、精巣の部分の方が大きくなる。ここでは男性ホルモンを作れるが、精子は作れない。

豊富な男性ホルモンの作用により、メスの外性器は、オスとまったく見分けがつかなくなる――陰核はペニスのように大きく、膣の開口部は閉じてしまう。ヨーロッパモグラのメスはすべて卵精巣を持っており、日本や北米のモグラも一部は持っている【155-157】。

精巣や男性ホルモンは、攻撃性を高め、代謝効率を悪くし免疫機能も下げるなど、生体の維持に対してコストとなると認識されている。繁殖シーズン以外でオスの精巣が退縮していく生き物は、ウズラ、イタチなど多く知られている。

だが、モグラはその逆で、卵精巣から出る男性ホルモンは、土の中で穴を掘り続け、獲物を捕らえるのに必要な腕力と攻撃性を支えていると考えられている。メスの状態でいることがコストであり、メスもオスらしく生きた方がメリットがあるようだ、という点が興味深い。

性決定の方式も進化の途上

魚類のさまざまな系統に雌雄同体の種が存在する。脊椎動物の中でももっとも原始的なグループであるとされるヌタウナギの中のいくつかの種では、卵巣と精巣の両方を持つものがいる。すなわち、**脊椎動物の祖先では性の二分法は確立していなかったことが示唆される**。

哺乳類ではY染色体上に精巣の発生を導く遺伝子が乗っており、XとYの染色体は性染色体という名前が付けられていることから、Y色体が男性のシンボルであるかのように感じてしまう人もいるかもしれない。Y染色体がどんどん短くなっているので将来は男性は消滅する、という恐怖をあおる研究者もいて議論になった【158】。

そもそも**有性生殖の役割は、環境の変化や進化の早い病原体の脅威、有害な突然変異の蓄積などに対抗するために、単純なクローンではなく、他の個体と遺伝子の組み合わせをトランプのようにシャッフルすることにある**。クローン生殖は、配偶相手を探したり、相手を獲得する駆け引きをしたりしなくてよいという点で、素早く子孫を増やすことができるメリットがある。しかし、悪い遺伝子セットの手札が配られているときには、自らをそのままクローンで増やしていくのは危険である【159】。

つまり、性別と、効率よく生殖行動を導くための性役割行動は、時たまシャッフルをかけるために便宜的に採用されているにすぎない。性淘汰理論から派生した旧来の適応主義の仮説がイメージさせるように、精子や卵子の大きさの違いから派生してくるような、固定した役割ではないのである。

実は、性の決定をどのように行おうかと、同じ種の中で進化が試行錯誤している様子がいくつかの生物で観察されており、特に日本での研究が進んでいる。

国内に広く生息しているツチガエルは、もともとは哺乳類と同じようにXXがメスで、XYがオスという性決定様式をとっていたようだ。しかしその後、日本海側に隔離された集団の中で、ZW染色体がメスで、ZZ染色体がオスのものが生じた。

これは鳥と同じ性決定方式である。鳥では哺乳類と逆に、メスの方が異なる性染色体の組を持つ。ツチガエルの中で両方の性決定方式が共存していることは、この2種の方式はそれほどかけ離れたものではなく、転換可能であることを示している【160】。

Y染色体が短縮していき、やがて消滅してしまった哺乳類は、南西諸島で2種、中東に1種見つかっている。そのうち、アマミトゲネズミとトクノシマトゲネズミはY染色体を持たないが、オスは問題なく存在しており、精巣も発達する。これらの動物では、通常の哺乳類でY染色体の上に乗っている、精巣の発生を促す遺伝子はなくなっているが、その先の性分化に必要な遺伝子は保存されており、別の引き金によって発現をはじめるからである。一方、近くに棲むオキナワトゲネズミはXX／XYの性決定方式のままである【161】。

さらに、日本固有のシロアリであるナカジマシロアリでは、九州と四国の個体群にはオスがおらず、単為生殖していることが世界ではじめて発見された。

アリやハチでは、半倍数体性という染色体の仕組みで性が決定されていて、ワーカーはすべてメスなのだが、シロアリはこれらとは系統が違う。シロアリではメスもオスも倍数体であり、働きアリにもメスとオスの両方がいるのが普通だ。しかし、ナカジマシロアリの一部の個体群ではオスは不要のようである【162】。

オスの精子で遺伝子組み換えをするサラマンダー

単為生殖では個体群は手持ちの遺伝子セットをシャッフルできないため、生存に不利であり、種としての寿命も短いと考えられてきた。ところが、北米に棲むトラフサンショウウオ属のサラマンダーはその前提を覆す存在である。このサラマンダーたちの中にも、雌雄が存在する集団とは別に、メスのみで繁殖する集団がいるのである。

平均的な有性生殖の種の寿命は100万年から200万年である。それに対して単為生殖の種は10万年も存続することが難しいと考えられている。

しかしこの単為生殖のサラマンダーは、500万年以上も種として存続してきたことが遺伝子の系統分析により示唆されている、特異なご長寿種である。サラマンダーはトカゲと同じように身に危険が及ぶと体の一部を自ら切断して逃げる。自切からの尾の再生スピードでも、メスのみの集団は、雌雄で生殖した集団よりも1・5倍速い。すなわち、生物学のこれまでの前提を覆し、このサラマンダーでは単為生殖の方が生物として頑強なのである。

どのようにして、そのようなことが可能になったのだろうか?

メスだけで繁殖するサラマンダーは、ときどき他種のオスが生息地に残していった精子からDNAを盗むのである。受精に使うのではなく、単に自分のゲノムに加えるのだ。わたしたちヒトの細胞も、太古にミトコンドリアのような微小生物を取り入れていたり、ゲノムの中にウイルスから取り込んだものを大量に含んでいたりするが、サラマンダーは積極的に遺伝子組み換えをしていることになる。結果、持っている染色体の数も個体によりまちまちだ。強健な雑種をつくるために、通常の繁殖方法は放棄してしまったかのようである【16,163】。

日本のギンブナもメスのみで繁殖するが、その仕組みはこのサラマンダーと似ているようだ。ときどき近縁のフナと交雑することで、繁栄を続けてきたらしい【164】。

両性具有的なブチハイエナ

かつてアメリカ合衆国に行ったときのこと。ワシントンDCで朝食にヴィーガンハンバーガーを食べようと立ち寄ったカフェ併設の書店で、赤いカバーに「Bitch」【16】と記されている本が目に飛び込んできた。背表紙に描かれたブチハイエナが本のタイトルロゴをかじり取っていたのが、本を書架から引っ張り出してみるきっかけだった。やがてわたしは、そのアンティークな書架が一般向けの科学書の棚であること、またその刺激的なタイトルの本が、最新の行動生物学の知見を紹介する本であることに気づく。ブチハイエナは、生態学的にも内分泌学的にも、マッチョなメスを象徴する種である。

哺乳類では、メスの方がオスよりも大きくて攻撃的、すなわち順位の高い生き物はほとんどいないという。むかし読んだ文献【165】には少なくともそのように書かれていた。しかしブチハイエナは、体格も攻撃性も、順位もメスの方が上である。おまけに、オスより立派なペニスをぶら下げている。

性別が曖昧な生き物の存在は、古代より知られていた。民族によってさまざまな意味づけがされ、「両性具有」の伝承と結びついてきた。ハイエナが両性具有に見えることは、古代ローマでプリニウスにより記述された、『博物誌』にも記載されている。

外性器の見た目だけで言えば、そうした認識は必ずしも間違いとは言えない。複数の種のハイエナのうち、ブチハイエナのみが、雌雄区別のつかない外性器を持っている。メスは胎児期から高濃度の男性ホルモンを分泌しているのだが、外性器は男性ホルモンの影響によりかたち作られるため、メスは偽ペニスと偽陰嚢を持って生まれてくる。

問題は、メスの内性器はメスのままであることだ。男性ホルモンの影響で膣の開口部はふさがっており、ペニスの先の尿道口が膣口を兼ねている。ちょうど、オスの尿道口が精子の通り道としても使われているのに似ている。メスの偽ペニスはオスのペニスと同じくらいか、むしろ大きいくらいのサイズがあり、挨拶行動に使われ、勃起もする。交尾の際は、オスはその中に自分のペニスを挿入しなければならないため、メスの協力なしに行うことは不可能である【166】。

問題なのは出産である。ヒトの出産も鼻からスイカを出すよう、と表現されることがあるが、ハイエナの場合は偽ペニスの先から赤ん坊を分娩しなければならない。針孔からスイカを出すような技である。結果、初産の際に、少なからぬメスが偽ペニスが裂けることで死んでしまう。また、悪いことに、偽ペニス内の産道はへその緒よりもずっと長いため、6割ほどの赤ん坊は生まれてくる際に窒息死してしまう。

ブチハイエナは、メスを中心としたクランと呼ばれる群れで生活し、屍肉《しにく》をあさるのみならず、自らも狩りをする。アフリカのいくつかの伝統社会やキリスト教社会では、曖昧な生殖器を持つことにより、あまり良い印象を持たれていない【27】。

性の曖昧さと神聖さ

実は、偽ペニスの先から分娩する哺乳類はブチハイエナだけではなかった。クマがそうだ。

北米先住民の複数の部族で、クマは雌雄の間、および人間と動物の間を取り持つ神聖な動物と見なされてきた。さまざまな伝統社会で、性が曖昧な動物は再生と豊穣《ほうじょう》のシンボルとされてきたが、クマも、アラスカ・エスキモー【註10】により「オス母熊」として表象されてきた。実際、グリズリー（ヒグマの亜種）やクロクマ、シロクマのメスでは外性器がオスと似た個体が出やすく、個体群によっては1～2割にも及ぶ。中には、ブチハイエナのように偽ペニスの先で交尾をして、そこから出産するものもいる。クマは、ペニスの中に陰茎骨が入っている動物であり、メスの偽ペニスの中にも、しばしば存在することが観察される。

クマを使った儀礼というと、わたしたちにとってはアイヌ民族の「熊送り」が思い起こされる。熊送りは北東シベリアの民族から伝わってきたとされているが、この地域は、アメリカ原住民に加えて、シャーマニズムの意識変容についてもっともよく研究されている場所でもある。

シャーマンは男女いずれも、**反対の性への移行や性行為を、意識変容過程で中心的に用いてきた**【167,168】。シベリアの熊送りでは、性別越境や性交を儀式的に用いることによって、男女間のパワーバランスを揺り動かし、部族間の緊張をほぐした。社会緊張を交尾で解消する、大型類人猿のボノボを彷彿とさせる。

神聖視される生物の中では、トランスジェンダー性／インターセックス性を持つ種に事欠かない。ニューギニアや北部オーストラリアに住む飛べない鳥であるヒクイドリはその代表例であり、『*Biological Exuberance: Animal Homosexuality and Natural Diversity*【4】』の表紙を飾っている。これは、1999年に出版された、哺乳類や鳥類を中心に450もの種での、同性間の性行動をはじめとした性の多様性を紹介している、事典的な書籍である。

体高が1・5メートルほどにも達し、世界一危険な鳥と称されるヒクイドリは、ニューギニアの伝承では、ペニスがあるけれどすべてメスであることになっている。1万8000年ほど前、もっとも早く人類によって飼育のはじまった鳥であるらしい【169】。習俗内での扱いは北アメリカ部族におけるクマと類似しており、豊穣と成長のシンボルである。動物界と人間界との仲介者という位置づけも同様で、鳥というよりもヒトに分類されていたりする。

これらの性別が曖昧な生物を祀る儀礼では、部族のメンバーは異性装をし、同性間での性行動も行われる。

実物のヒクイドリの生殖器はどうなっているかというと、雌雄ともに通常は膣のように陥入していて、交尾の時に裏返しにふくらんで飛び出る陰核／ペニスのような器官を備えている。これを通して射精をすることはできないから、雌雄ともに肥大化したヴァギナ、兼陰核を持っているという方が正確である。鳥は基本的には総排泄孔を使って排泄や交尾、産卵を行うけれど、中にはペニスのようなものを備えている種があり、通例、

*10 エスキモーとイヌイットは、民族グループが異なる。ここで言及しているのはエスキモーのことである。

交尾でメスの体を捕らえておくために使われている。

性別の曖昧な個体が豊穣のシンボルとして珍重される他の著名な例として、バヌアツのブタが挙げられる。バヌアツはオーストラリアの北東に位置する、ニューヘブリディーズ諸島からなる。『天国に一番近い島』という小説・映画で有名になった、ニューカレドニアのすぐ北側に位置するメラネシアの島しょ国だ。

家畜のブタでも、稀にオスとメスの両方の生殖腺を備えた個体が見られるが、全体の0・2％程度である【170】。バヌアツでは豊穣のシンボルとして、生殖器の性別が曖昧なブタが生まれやすいように積極的に掛け合わせをしており、地域によっては1～2割の確率で「両性具有」ブタを得ることに成功している。島々全体では数千を有すると考えられている。彼らは見た目はイノブタであり、内性器はオスで、牙を持っている。しかし外性器の形状はメスに近い【171】。

宗教儀式のお供えとして必須の両性具有ブタは、高く取引されており、縄でつながれ大事に飼われている。外性器がどの程度メスらしいかにもとづいて細かくグレード分けがされており、西洋人がはじめて外性器半陰陽の人々を分類する必要が生じた際に参考にしたという。

性をはっきりとオス、メスに分けることができない個体が1～2％の割合で生まれてくることは、ヒツジやウシを育てる畜産家にはよく知られていた。胎盤を共有する双子で、片方がオスで片方がメスだと、メスの方がフリーマーチンと呼ばれる状態となる。フリーマーチンは、外性器はメスだが、内性器はメスとオスの両方を有し、不妊である。双子は血管組織を共有しているために、オスのきょうだいの体内の精巣から分泌された男性ホルモンが、メスのからだをオス化してしまうのだ。この現象は、1910年代に、胎児期の男性ホルモンが性の初期発達をもたらす仕組みが明らかにされるきっかけとなった【40, 42】。現在では、男性ホルモンのみならず、染色体もXYを含むモザイクタイプになっていることが知られている。

まとめると、**雌雄異体の生物においても、身体や行動の表現としてメス型を採用するか、オス型を採用するかの戦略は流動的**である。中間を採用したり、異なる性の特徴を組み合わせたり、ライフステージによって切り替えたりするケースがあることを紹介してきた。

それでは、個体が表現する性が決まったら、その性に対応するジェンダー・ロール内の行動のレパートリーは、遺伝的にパターン化されていると言えるのだろうか。例えば、オスとしての性行動や、メスは子育てをするはず、といった行動セットの内容である。

性的刷り込みと、求愛行動様式の学習

性に特徴的な行動が、遺伝的背景のみならず、学習によって成立する例として、性的刷り込みがある。

コンラート・ローレンツは、鳥が孵化後に目にした動くものを親と認識し、ついてまわるという社会的刷り込みについてつまびらかにしたが、さらに、性的刷り込みというものもある。これはニワトリやアヒル、ウズラなどの若い個体が周囲の個体を観察し、配偶相手としての自分の種の異性を認識することを学ぶことを指す。配偶相手獲得のための求愛行動様式、すなわち性的アピール方法を身につける必要もある。

こうした学習により、若い個体は自らと同じ種の異性と子を残すための道筋を身につけていく。

発達環境にもとづく性的刷り込みや、性的アピール方法の学習は、オスの方が影響を受けやすい。それを実験的に確かめるには、卵や子どもを、近縁種の親に里子に出して、里親の影響をどの程度受けるか調べることになるのだが、これは里子実験（cross-fostering）と呼ばれる。

有名なところでは、キンカチョウというペットとして飼われている鳴禽《めいきん》を使った研究

がある。キンカチョウでは、一般的な飼育方法としても、子育ての下手なキンカチョウの代わりに、卵をジュウシマツに里子に出すことが行われている。

キンカチョウではメスもある程度性的刷り込みの影響を受け、里子に出された個体のうち3分の1ほどは成長後にジュウシマツと交尾しようとする。同様に里子に出されたオスはすべて、キンカチョウではなく、ジュウシマツに対して求愛するようになる【172】。オスのさえずりのうまさは、メスに求愛する際の主要なアピールポイントである。オスのヒナは孵ってから30日すると発声をはじめるが、この時、耳にした父親のさえずり方を、自分の発声と照らし合わせて学習していく。

鳥には、自分と同種の個体のさえずりを学習しようとする認知的傾向がある。しかし、音声学習期に一緒にいるのが別種の里親であるならば、学習するさえずりは里親の影響をある程度受ける。学習の影響の強さは、種や刺激を受ける時期によって異なっている。

配偶者選択と求愛に中心的な役割を果たす行動（さえずりなど）が発達する際に、社会学習の影響を少なからず受けることは、性や種による特徴の違いを生じさせるプロセスも、遺伝だけで方向性が決まるとは限らないことを示している。むしろ、**環境の必要性に応じて、その種にとってオス／メスとしてどういう特徴が魅力的なのかを柔軟に調節する、「遊び」が存在する**ということである。

性的刷り込みが働いている例として、鳥の他に、ヤギやヒツジ、イトトンボ、ジャノメチョウ、コモリグモ、ヤドクガエル、西アフリカの湖に生息するシクリッド科の魚などが知られている【173】。

性的刷り込みを通じた可塑《かそ》性は、同種同性の個体の中に複数のパターンの性的特徴を持つものが現れることと対応する。生活環境によって、周囲にいる異性の特徴がちょっとずつ異なっても、柔軟に対応できる利点がある一方で、性の特徴は固定化されない。さらに、それをもとに異なる種に分化していくこともある。

子育て本能のスイッチをOnにせよ

ヒトのさまざまな行動の調節にも、ホルモンや遺伝子が作用しているのは事実だが、女性にとって母性が本能であるとか、子どもに性教育をしなくても時が来れば自然に学ぶ、という考え方に問題が多いのは周知の通りである。なぜなら、事実はいうまでもなく、**行動の発現には環境学習と生理的素因の両方が必要**であるからだ。

仲間から隔離して育てられたアカゲザルがさまざまな自傷行為を行うのみならず、仲間とのコミュニケーションの取り方を知らず、交尾や子育てもできないことは、ハーロウの母性はく奪実験で広く知られるようになった【174】。

人工哺育で育てられ、周囲に仲間も乏しい動物園の希少動物では、そのままでは首尾よく繁殖できるとは限らない。特に類人猿では、幼い子どもの子育てをしている先輩の行動を見せて、学習させておくことが一般的になっている。

それでは、子育てをする性は、その種の典型的な例からどのくらい柔軟に変化しうるのだろうか。これも、もちろん状況と個体によるのだが、ある程度融通が利くことが知られている。通常は子育てをしない側の性の脳にも「子育て回路」は保存されているためだ。

中南米に棲む、カラフルで小さなヤドクガエルは動植物園や水族館の人気者だ。先住民はこのカエルの皮膚に染み出た毒をやじりに塗り付けて、大型の獣や人間を倒すのに使っていた。

この小さなカエルは熱帯雨林の植物の葉のくぼみにできる水たまりに卵を産む。卵が孵ると、親はオタマジャクシを背負って、それぞれの子ども部屋である水たまりまで運んでやり、餌を与える。子育てをするのは多くの種ではオスだが、メスが行う種や、両性が行う種も存在する。すなわち、**一連の子育て行動を引き起こすスイッチは、進化的に比較的簡単にOn－Offできる**ことを示唆している。

例えば、藍色と黄色のカラーリングが毒々しいアイゾメヤドクガエルは、野生ではメスは子育てをしないが、飼育環境下でオスを取り除くと、メスも子育てに携わることがある。オス、メスのいずれも、脳深部視床下部内に子育て行動を引き起こす神経回路を持っている。視床下部内側視索前野内でのガラニンというペプチドホルモンのはたらきによって、子育て回路が発動するのである【175】。

父性行動は眠っている

近年、この親行動スイッチはわたしたち哺乳類にも備わっていることが明らかにされた。マウス脳の視床下部の中には親行動スイッチ——ガラニン神経回路——と、赤ん坊殺しスイッチ——ウロコルチン神経回路——が存在し、互いに投射し合っている。マウスは一夫一妻であり、オスは通常、自分の子ではない赤ん坊は食い殺してしまう。しかし、生きた生物の脳内の特定の神経回路のスイッチをOn－Offする光遺伝学という手法を使うと、子殺しオスを子育てパパに切り替えることができるのだ【16, 176】。

哺乳類6000種のうちで、父親が子育てに携わるのはヒトを含む5～10%にすぎない。父親による子育て行動が見られるのは、基本的に一夫一妻の種である。

一夫一妻の神経メカニズムの研究に使われるハタネズミのオスは、巣作りはもちろん、出産の手伝いから赤ん坊の世話も行う。これに対し、一夫一妻以外の配偶システムをとる種のオスにも脳内の子育て回路は保存されているらしい証拠が、いくつか挙がっている。

単独生活者のオランウータン【177】や、群れの中では乱婚のライオン【178】で、母親の不在など必要に迫られると子育てを行う様子が見られている。

通常は一夫多妻のマウンテンゴリラでは、分け隔てなく子どもの相手をするオスの方が、そうではないオスよりも5倍もの数の子どもを作ることに成功している。群れの中には複数の繁殖可能なオスが含まれることがあり、その場合はオスが相手をする子どもは自分の子ではないかもしれない。それでも、子どもに優しいオスはメスにモテるようであり、その利得を考慮すると、群れ内の子どもに対して分け隔てなく接することは、大したコストではないようだ【179】。

同性との性行動の割合も環境で変わる

さて、いわゆる「本能的な」行動に対して環境が与える影響の大きさについて見てきたわけだが、本書のメインテーマの同性愛に戻ろう。

さまざまな生物で日常的に同性間性行動が行われていることが再発見され、著名な性淘汰研究者による同性間性行動に関する進化的考察が、権威ある生物学の雑誌にも掲載されるようになった。

２００９年には *Trends in Ecology & Evolution* という生態学の代表的な総説誌に「同性間性行動と進化」と題した論文が掲載された。著者の一人は、１９８２年、サイエンス誌で、鳥の羽色は寄生者の脅威が高い種において鮮やかになる、という説をW・D・ハミルトンと共に唱えた女性研究者、マーリーン・ズックである【5】。彼女は、生物の鮮やかな装飾は、寄生者への抵抗性が高い「良い遺伝子」を持つことのしるしなのだ、というハミルトン–ズック仮説【180】を唱え、多くの一般向け著作もある【181–183】。「同性間性行動と進化」では、さまざまな生物で見られる同性間性行動の分類を試みている。言及されている同性間性行動の例をいくつか紹介してみよう。同性との性行動もさまざまな機能を持ち、そしてその出現頻度は環境の影響を受けていることが分かるはずだ。

メスの多型とオスの調整——イトトンボ

イトトンボは同性間の性行動が多く見られることで知られている。しかし、その頻度はメスと一緒にいる機会があるかどうかによって影響を受ける。さらに、メスの中での体色の多型が、オスのオス好み行動によって引き起こされている可能性すらある。

イトトンボはネオンブルーと黒の、細く流麗なトンボであり、オスとメスでは配色が異なる。メスには3種の体色パターンがある。メス型2種、オス風1種である。野生の個体群のメスだと、オス風は3分の1を占めることが分かっている。

イトトンボのオスは、もともとの状態では、交尾相手としてはオスよりもメスを選ぶ。しかし2日間オスのグループと過ごさせると、圧倒的にオスを交尾相手として選ぶようになる。だが、2日間雌雄の混群と一緒に過ごすと、再びメスを選ぶようになる。いずれの選択条件でも、メスがメス型かオス風であるかは、結果に影響を与えなかった【184】。

メスが複数タイプの体色を持つ生物は、トンボの仲間の他にも甲虫、蝶の他にハチドリや爬虫類に見られる。トンボのオスによる配偶者選好基準は、メスの体色バリエーションの頻度に応じて変化しやすい。元論文を書いた研究者は、メスの多様性への対応柔軟性がエスカレートした結果、オスはオスと交尾するようにもなると想定している。

しかしオスは、オスとオス風のメスとを区別していた。また、メスの多くがオスに擬態しているのはなぜだろう。むしろ、一部のメスが、オスとの交尾を好むオスとの配偶チャンスを狙ってオスに擬態していると考える方が自然ではないだろうか。

家畜ヒツジのストレートなオスは6～7割

野生動物では、オスとメスと両方の選択肢がある状態で、継続的に同性を好むのかどうかを調べることが難しい。すなわち、同性間性行動は定義できるが、同性への性的指向が確認されている種は少ない。

家畜のヒツジではそうした実験が可能であり、同性への性的指向のモデル動物となっている【185】。

その結果、約8%のオスは、メスを交尾相手として選ばないことが分かった。ストレートのオスは6～7割であり、残りの個体は、相手はオスとメスのどっちでもいい、もしくは性行動に関心がないのである。

もっとも、オスを相手として好んでいたオスのヒツジたちも、メスとの接触経験を持たせることで、メスと交尾するようになる個体もいる【185】。一方で、繁殖シーズンを重ねてもオスへの指向が変わらない個体もおり、同性愛の神経学的基盤の解明のために使われるのはそうした個体である【186】。

メス同士で子育てをするカモメ、コアホウドリ

同性間性行動は野生よりも飼育下で、また異性の少ない環境では多く見られることが知られている。**異性の少ない環境にある野生群で、個体群を維持するのに役に立っているという証拠**もある。

海鳥のグループに属するカモメは1度に2〜3個、アホウドリは1度に1個しか卵を産まないし、子育ては大変なので、つがいの絆はとても強いのが通例である。古くは1942年から、カモメの巣の最大14%に、4つから6つの卵が産みつけられているのが見られていた。これは、メス同士のカップルの巣であることを意味している【187】。

海鳥の巣のうち、それなりの割合のものがメス－メス世帯のものであることは、幾度かにわたり再発見されてきた。雌雄の性役割に大きな差が見られない種では、体の大きさや装飾で雌雄を見分けることは困難である。産卵する体力的にもヒナの世話にも、子育てに多大な投資が必要な鳥類では、一夫一妻の種が9割を占める。役割が均等なほど、

見た目も雌雄差が少ない。

もっとも、一夫一妻は完璧ではない。ペア外交尾（いわゆる、不倫）を行うし、繁殖シーズンによって相手を変えるケース（離婚、再婚）もある【188】。その中でも、同じ相手とつがい関係を続ける種が多いことで知られるのが、海鳥たちなのである。

永きにわたる同性カップルの絆の代表はコアホウドリである。ハワイのコアホウドリたちは1世紀以上も観察研究の対象となってきた。このコロニーは世界でトップクラスの同性カップル世帯率を誇る。

しかし、研究者がやっとそれに気づいたのは2008年のことであった。コアホウドリの同性カップルは、求愛ダンスの仕方も見た目も雌雄カップルとは区別がつかない。だから、しばしば見つかる、複数の卵が産みつけられた巣は謎であった。ヒナは必ず一人っ子のはずだからだ。おまけにコアホウドリは浮気をしないことで知られていた。

そこで研究者たちは、メスは多数回排卵をしているのではないかと考えた。人間でも、一度の性周期内で複数回の排卵が起き、二卵性双生児が生まれることがあるように。

だが、毎年2個ずつ卵が産まれている巣を見て、ハタと気づいた研究者が両親鳥の羽をDNA鑑定に出してみると――両親はいずれもメスであった。研究者は、DNA鑑定プロセスもしくは、フィールドワークのいずれかにミスがあったと確信し、さまざまな巣に対象を広げて、調査を何度も何度も繰り返した。しかし何度繰り返しても、卵2個の巣の両親はメス同士であった。オアフ島、カエナポイントの125の巣のうち、39の巣がレズビアンカップル世帯であることが明らかになった。交尾は近所のオスとして、精子をいただいてきているわけである【189】。

このコロニーで極端に同性世帯が多いのは、新しいコロニーなのでオスが不足していたことに起因する。住み慣れた地を離れる若い個体がオスであるかメスであるかは、種により大体決まっていて、コアホウドリではメスである。

だから、若い鳥たちが過密状態の既存の営巣地を離れて新天地を開拓しようとする際に、メスはパイオニアとしてやってくるが、オスの数はまだ足りない。したがって、少なからぬメスが両母世帯をつくって子育てをする。1シーズンにカップルが育てられるヒナは1羽だけなので、卵が2つあっても1羽ずつ捨てることになる。しかし、彼女たちにとって、1年交代であってもヒナを育てられる方がマシである【190】。

コアホウドリは、70年ほども生きるとされている。基本的に離婚をしない種であり、メス－メスつがいの最長観察記録は19年だった。今はもっと伸びているに違いない。

ニホンザルの同性愛文化

マスターベーションから同性間性行動、思春期前の子どもも参加する性的遊戯に至るまで、ヒト以外の動物も、多くの繁殖に直接結びつかない性的な活動を頻繁に行っている。筆者がはじめてそれらの現象について知ったのは、『サル学の現在（立花隆著、1991）【3】』との出会いによる。

改めて読み返してみると、ゴリラやボノボ（ピグミー・チンパンジー）に関しては同性間性行動についてじっくりと記載されているが、わたしたちにとってもっとも身近なはずのニホンザルでの記述はない。交尾期のニホンザルのメスは、オスよりも交尾に積極的であることは書かれている。それまで研究者のほとんどが男性だったため、調査内容もオス視点のものに大きく偏っていた、と問題提起がされている。

現在におけるニホンザルの性行動研究の第一人者といえばカナダ、レスブリッジ大学のポール・ヴェイジーである。いわく、ニホンザルではボノボと同じように、メス同士の性行動が顕著に見られる。しかしその生態学的機能は、Ｐａｒｔ１で紹介したボノボとは異なっているという。同性間性行動に関心を持ち、よく観察することができたのは、彼自身のゲイ当事者としての視点があってのものだろう。

ヴェイジーによると、10月から2月にかけてのニホンザルの交尾期において、メスはしばしば他のメスとコンソートシップを結び、互いにマウントを繰り返す。その間、2頭は互いの目を見つめ合い、性的な絶頂に達した様子を見せる。

同性間性行動は飼育下でも野生でも見られるが、出現頻度は群れによって大きく異なっている。ほぼまったく観察されない集団もあるが、それ以外の集団では、同性とも交尾をするメスの割合は23%から78%とまちまちであり、群れごとの文化によって大きく異なる。

メスの同性愛行動はオスが足りないからではないかと思いたくなるが、そうではないらしい。交尾をしたくなるのは、相手が異性か同性かにかかわらず、その個体が魅力的かどうか、に依存するようだ。メス同士のカップルに、オスがちょっかいを出しても、オスは見向きもされないのである【2】。

動物行動学分野で、同性間の性行動が観察されるときに、説明として出される理由に以下のようなものがある。

1. 優位の個体から援助を受けるためにすり寄っている。
2. 社会的優位のデモンストレーション。優位の個体が劣位の個体にマウントする。

3. 一緒に子育てしてくれる相手を求めている。
4. ケンカをした後の仲直り手段として。
5. 社会的な緊張をほぐすため。

ヴェイジーの観察したニホンザルの群れでは、いずれの仮説も支持されなかった。ニホンザルのメス達は、性的な関係を持っても、それが長期の協力関係には結びついていかない。そのため彼は、ニホンザルのメスは本質的にバイセクシュアルであり、単に自分にとって魅力的な相手を、その時々で性別にかかわらず選んでいるだけだ、と結論付けている。

Part5
ヒューマン・ユニバーサルな同性愛

同性愛など動物の性行動が種により異なるのみならず、環境の影響を受けることを見てきた。ご想像の通り、我々ヒトと呼ばれる種でも、同性間性行動の出現頻度は文化や環境により大きく異なる一方、その盛衰のパターンは意外なほど類似してもいる。

一般に、異性との接触が断たれた状況下では同性間性行動の頻度は高まる傾向があり、軍事的紐帯、もしくは宗教的な意味づけのもとで、同性愛文化は様式化されやすい。

そうした様相は、世界有数の男色文化を誇った日本ではイメージしやすいかもしれない。これは、先に出てきた、同性間性行動が抑圧されている状況下においても男性を性的に指向する、個人の特質としての性的指向とは意味合いが異なる。

以下では、同性間性行動が文化としてどのように盛衰するかを見ていこう。

男女間の恋愛は、文化現象か生物学的な普遍性があるのか

時代によって文化的な毀誉褒貶《きよほうへん》が著しいのは、同性間性行動や性別越境のみではない。異性間の恋愛感情も同様である。多くの前近代社会において、結婚は親族の繁栄のために手配され、個々人の恋愛感情は非道徳的なタブーであった。

生物学的な性向の実在と文化的な統制とのせめぎ合いについては、男女間の恋愛行動

に関して議論が積み重ねられてきた。

欧米の歴史学者の見方によると、現在見られるような男女の恋愛感情は、11〜13世紀のフランス南部からイタリア北部の宮廷を、騎士道と結びついた歌を披露しながら遍歴した「トゥルバドール」たちが、恋愛を美化した歌を広めたことに端を発する。

その後、活版印刷の普及で人々が恋愛小説を手に取れるようになった。恋愛感情は、豊かな社会と余暇によって生じた贅沢病だと見なされた時代もあった。しかし、19世紀のロマン主義時代に**個人としての意識が確立してきたことにより、男女間の恋愛結婚は次第に市民権を得ていく**【57】。家からの期待と対立する、恋人たちの葛藤を描いたイタリア・オペラの数々を思い浮かべていただきたい。

そうした人文社会学的な見方に対して、適応主義の立場をとる人類学者であるヘレン・フィッシャーは、文化的な受容性の違いに関わらず、生物として共通する恋愛という心理メカニズムの実在を唱えた。すなわち、恋愛という心理メカニズムは、一夫一妻をベースとするヒトの配偶行動を成立させるための、神経学的な基盤にもとづいて生じると主張したのである【191】。

近代ヨーロッパ文明に影響を受ける以前にも、恋愛という心身の反応は実在していたはずだ。フィッシャーはMRIを使った脳機能イメージングやアンケート調査、東西の古代の神話や物語を根拠として用いた【192-194】。

男女間の恋愛感情が存在した文書上の最古の証拠は、紀元前２０２５年に書かれたとされるシュメールの楔形文字の石板に書かれた相聞歌である。この石板は、１９５１年に著名なシュメール学者、サミュエル・ノア クレーマーがイスタンブール博物館の引き出しから引っ張り出すまで、世に知られていなかった。

シュメールの王は毎年、女神イナンナとの神聖結婚の儀式をもって新年をはじめる。女神の代理として、イナンナの女性祭司の一人が王の性的な相手を務めただろう。花嫁、すなわち女性祭司によって朗読される、王への求愛の詩は宗教的な詠唱となるのだが【195】、この求愛の詩が、旧約聖書の「ソロモン王の雅歌」よりも古い、最古の恋愛感情の証拠とされている。

なお、シュメールは多神教であり、イナンナは天の女王、性愛、美、戦いと正義の女神。象徴する獣はライオンである。

異性愛の恋愛歌よりも古い、性別越境文化の遺物

このイナンナは複数の相手と性的な関係を持つ。**生殖目的のみならず、愛情の発露と**

して性交が神聖な儀式として行われた。また、彼女は**人間の性別を変える能力を持っていた**。

イナンナに仕える神官の中には、ガラ（gala）と呼ばれる、高貴な人の葬儀で哀歌を歌うことを専門にする者たちがいた。ニーチェのいう『悲劇の誕生』のはしりとも言える。ニーチェは『悲劇の誕生』で、古代ギリシアにおける宗教的、芸術的な情熱の２つの方向性の対比を論じた。いわく、秩序を指向するアポロ的なものと、秘教的、かつ陶酔的なディオニュソス的なものである。

実際のところ、性を用いた宗教儀式は、世界各地で意識越境的な役割をになってきた。性別越境のテーマも、伝統社会のシャーマニズムや秘教的な習俗には付き物である。

例えば、シュメールのガラには女性も男性も存在したが、その中にはエメサルという、去勢された男性、もしくはトランス女性の集団が含まれた（図6）【196】。エメサルという言葉は、女性の発話法で歌うことを意味している。

図6　シリアの古代都市マリで見つかった、イナンナに仕えていたガラ神官像。BC2450

図6　ルーブル美術館
https://commons.wikimedia.org/wiki/File:Couple_de_musiciens.jpg

大英博物館には、「イナンナの両性具有者」と刻印された5000年前の像が展示されている。イナンナの神官は、宗教儀式での役割をはじめ、医療、預言、音楽、貧者の救済といった職能を持っていた。イナンナは金星と結びつけられる一方で、ガラらは月の儀礼とかかわっていた。月は、さまざまな文化で中性性を付与される表象である。

イナンナの神官が信者に、ウケ側として肛門性交を提供していたかどうかについては議論されている。だが、他文化圏での類似の事例や当時の記録から見ると、皆無であったとは考えづらい。

紀元前3000年紀後半には、イナンナはイシュタル信仰と習合する。イシュタルは娼婦の守護者であり、神殿では神聖娼婦が務めを果たしていた。また、イシュタル女神も女装した男性の神職を従えていた。旧約聖書に見られるように、ヘブライ人からは「バビロンの大淫婦」として敵視されることになる。

男性同性愛が当たり前の古代ギリシアとローマ

プラトンの『饗宴』に見える、古代ギリシアの作家たちにとって、**同性間の性行動は、すべての社会階層においてごく普通**のことであった（図7）。

ギリシアでは通例、男性同士の性的関係は年長者と若者との間で持たれた。若者は、大人による能動的性行動を受ける側である。恋愛において同性愛は、異性愛と区別されなかった。もっとも、成人になってもウケ側を好む男性は女性化する病気である、という考えは存在した【27】。

ただし当時も、同性愛関係の普及度は社会により異なっていた。クレタでは他の男性と「結婚」していない男性は社会的に不利であった。テーバイの聖職者の間では稀であり、アテナイでは成人男子の大半に見られる、といった具合である。同性愛は辺境の地よりも、都市部で盛んな風習であった。

古代ローマでも事情は同様である。異性愛と同性愛は区別されなかったが、ウケ側の成人男性市民に対する偏見が存在した。

すなわち、性別による区別ではなく、権力者側であるはずのローマ市民の成人男性が、性行為で受動的な側となることがタブーだったわけである。外国人や奴隷の男性や、ローマ市民であっても若者は、自発的

図7 ギリシアの赤絵に描かれた少年愛。BC510~470、アテネ

図7 ルーブル美術館
https://commons.wikimedia.org/wiki/File:Kiss_Briseis_Painter_Louvre_G278_full.jpg

にウケ側となっても何の問題もなかった。

ローマ医学においても、ウケ側を好む成人の同性愛者は「病気」であるという概念は存在した。そして、市民権を持っているにもかかわらず男娼を行う者への差別が存在したが、それも紀元頃には和らいだ。

帝政ローマ（紀元前27〜）初期までには、成人男性もウケ側として性的関係を結ぶことにためらいがなくなった。皇帝も含めてである。**男性同士、女性同士の結婚は合法であったし、上流階級では珍しくなかった**。同性間の結婚は親族を招いて盛大に行われた。ネロ帝は2度、花嫁側として、1度は花婿側として男性と結婚したという記録がある。既婚女性による、他の女性との性的関係は姦通《かんつう》として扱われた。すなわち、同性間でも一般の性関係と見なされた。

ローマが衰退して都市文化が下火になり、地方出身者が権勢の中枢を占めるようになってくると、性倫理は次第に厳格化する。男女の子どもたちが売り飛ばされて娼館で働かされ、知らぬ間に父親と性交に至る可能性も心配された。

3世紀から4世紀にかけて、ローマ法では未成年者の強姦や、同性同士の結婚が違法とされ、売春目的の男性の人身売買も禁止された。395年にローマは東西に分裂する。

6世紀には、同性愛はユスティニアヌス法典によって無条件に禁止されることとなる。

この法典の影響力は、ヨーロッパ中世後期の不寛容の時代に復活する。

キリスト教に攻撃されたキュベレー

4世紀、キリスト教がローマ帝国の国教となった。

旧約聖書で性的な罪を含意するソドマイトという言葉は、申命記と列王記略上に出てくる。もともとはkadashというヘブライ語であり、異教徒の寺院にいた神聖男娼のことを指す。同性愛行為そのものに対する言及はレビ記にある。ここで糾弾されるのはtoevah、すなわち偶像崇拝に関係する寺院内の売春のことで、売春一般については別の語が存在する。

先に述べたイシュタルの他にも、ユダヤ－キリスト教社会にとって不浄視された異教信仰が存在し、キリスト教の攻撃対象となった。紀元前2000年紀に起源を持つ、キュベレーという女神を崇拝する秘教である。前身は両性具有の大地母神、アグディスティス。キュベレーはライオンを従え、満月をかたどった太鼓を持っている。ローマではマグナ・マーテルとも呼ばれた【註11】。

キュベレーに仕える司祭は自ら去勢した男性であり、ガッライ（galli）と呼ばれ、女性として生活した。キュベレーの息子であるアッティスの伝承にならったものである。キリスト教化以前にはローマでは毎年キュベレー祭が行われ、ガッライの一団に伴われた女神の像がまちを練り歩いた。女性司祭もおり、夜を徹した音楽と踊り、乱交の儀礼を行った。

キュベレーやガッライの像はローマ化したブリテンでも見つかっており、4世紀に下るものもある。2002年にヨークシャーで見つかった遺体は身体的には男性であるものの、女性の衣装と、女性しか身につけないジェットという宝石を身につけていた。ガッライを葬ったものと思われる【197】。

4世紀末、アッティスとマグナ・マーテルの秘教はローマ帝国の禁止するところとなり、姿を消す。

キリスト教と同性愛の共存

4世紀から8世紀に至る期間、ヨーロッパの都市文明は衰退し、徹底的に農村化の途をたどった。併せて、都市で栄えていたゲイ文化の没落と、キリスト教の興隆が軌を一にして起こった。

だが、８世紀にイスラム教徒がスペインに侵入すると再転回が起こる。イスラム教徒は都市文化を復活させ、西ヨーロッパ最大の文明都市を作りあげた。この社会では豊かな同性愛文化が再び花開き、イスラム教徒とキリスト教徒は互いに仲良くやっていた。キリスト教の教父たちの間では性行為自体を戒めようという禁欲的な観念が存在したが、同性間の姦淫は、男女間の姦淫と比べると、おおむね罪の軽いものであると考えられていた。キリスト教の聖職者もまだ結婚することができたし、中には男性同士で結婚している聖職者もいた。

しかし11世紀から12世紀にかけて、聖職者の婚姻を禁じようという運動が起こり、しまいには教会法の規定とされた。その際も特に問題とされたのは、女性との結婚であった。当時、聖職者は大量の同性愛文学を生み出しており、レズビアン文学も存在した。

１９３４年にカール・オルフによって作曲されたカルミナ・ブラーナという世俗カン

*11 キュベレーの表象はイナンナと類似するところがあるが、直接の継承関係はないと考えられている。イナンナ－イシュタルを継承したのは、アフロディーテとヴィーナスであるとされている。日本の伊耶那美・伊耶那岐神話にも見られる冥界下りのモチーフが、イナンナおよびイシュタルの神話には存在する。ギリシア神話では、デメテルとペルセポネーの神話、およびオルフェウスとエウリュディケーの物語となっている。中南米の神話にも、類似のテーマが見られる。

タータをご存じだろうか。クラシック音楽だが、大変ドラマチックな楽曲で、映画音楽やスポーツ競技の入場曲としても使われているから、耳にしたことがある人が多いと思う。

このもととなったのは、ドイツ南部の修道院で見つかった、13世紀前半に一般に普及していた詩歌集であった。オルフの楽曲には含まれていないものの、もとの写本の中に『私はもう心を変えようとし』という詩がみえる。恋人同士である2人の男性聖職者の応報である。

一人は重い病にかかり、治してもらえるなら修道士になると神に誓う。恋人の男性はひどく悲しみ、自分を捨てないでくれと説得を試みる。修道院の食事はまずいし、断食もあるし徹夜もあるぞと。病人は説得されて、「心を変えようとする」。どうやら修道院入りはやめて、恋人と一緒にいることにしたようである。

ヨーロッパにおける恋愛文化の歴史を思い起こして欲しい。トルバドゥールは宮廷で11～13世紀に、淑女の尊敬と愛を得ようと努力する騎士の熱情を歌った。互いに自分の家庭を持っており、恋愛はプラトニックなものである。すなわち、結婚は家督と生殖のための制度であり、恋愛は家庭外ですべきものだった【57】。

同性のパートナーに対する、情熱的な愛情の物語が好評を博していたのも同時期だ。

男性騎士同士の異常なまでの献身愛が称賛され、それは、各々の家庭に対する愛情や義務よりも優先すべきこととされた。

日本においても鎌倉時代から江戸時代中期にかけて、武士同士の忠節と性愛に高い倫理性を付与した衆道が盛んとなった。ヨーロッパ中世における騎士同士の熱愛は、衆道に比せられるかもしれない。

ヨーロッパの急速な都市化に伴い、ギリシア・ローマといった古代の人文主義へのあこがれが、個人の愛の価値をキリスト教的な美徳に高めたのであった。

同性愛の冬の時代

同性愛者やユダヤ人を含め、多様な信仰や生活形態が受容されていた中世初期に対し、13世紀と14世紀は教条主義と不寛容の時代となった。

聖俗両面において、権力の集中と行政機関の肥大が生じた。立法文書が指数関数的に増大した。教会や国家の上位階層に入り込むためには、聖職位や大学教育といった資格を要求するようになってくる。また、12世紀以降、女性の地位が顕著に低下する。貧困者は社会不安の要因として目をつけられるようになる。民族的な差別意識も高まり、ユダヤ人はイングランドとフランスから追放された。

テンプル騎士団や魔女といった、秘教実践者も迫害されるようになる。これらの異端とされた神秘主義は、性交を用いた密儀を行っていると疑われた。

西洋神秘主義の中で、長く継承されてきた体系に錬金術【註12】がある。古代エジプトやギリシアの伝統を引き継ぎ、物質や精神を変容させる技術として発展を続けた。

そして、**錬金術の最上のシンボルは、異なる性質を持つものの統合を表す両性具有者**である。この時期、同性愛の迫害根拠となるスコラ哲学を体系立てたトマス・アクィナスも、錬金術に傾倒していた。錬金術が異端とされたのは1317年の教皇令によってである。

12世紀であれば、ヨーロッパの君主は、同性の恋人を大っぴらに高い地位に引き立てることができた。そうした時代が終了したことは、イングランド王エドワード2世の処遇にあらわれている。彼は中世最後の、公然としたゲイの君主であったが、退位させられ、自分の娘の命令により処刑された。彼の恋人たちも殺されている。

不寛容はイスラム社会への対抗？

ヨーロッパでは、1250年から1300年の間に、急速な同性愛への非寛容化が生じている。理由は明らかではないが、もっともらしいのは十字軍の副作用である。十字軍運動は外敵を設定することにより、ヨーロッパ内に高まっていた政治的緊張と敵意を、外に逃がす役割を期待されていたようだ。結果、ありがちなことが起こった――自らの社会内部での暴力衝動の上昇である。市民はウチとソトを峻別することに精を出し始め、標的となったのは、コミュニティ内部のあらゆるマイノリティだった。キリスト教内部でも、互いを異端宣告することで内戦が行われた。高利貸しのような、職業を標的とした迫害も勃発した。

当時のイスラム社会は、男色が盛んなことで知られていた。この時期に書かれた『ルバイヤート』や『薔薇園《ばらえん》』には同性間の性愛描写があふれている。十字軍で負けが込んできたヨーロッパ社会は、異教や異端と、自らを差別化する装置の一つとして、同性愛

*12　錬金術は、非金属を金属に換えようとする試みとして知られている。魔術的な側面としては、関心は人間の心身の鍛錬にも向けられていた。後述する、中国の道教などの伝統を取り入れている。

嫌悪を用いたと考えられる。キリスト教徒の若者がさらわれて少年愛に供せられるというイメージは、民衆の怒りに火を注いだ。

イスラム社会における、少年愛を中心とした男色文化は19世紀末まで続いた。19世紀には、エリート層を通じてヴィクトリア期ヨーロッパの倫理観念が流入する。近代化の障壁として、古来の生活習慣は目の敵にされ、無かったことにされた。

こうした西洋中心的な近代化による伝統破壊と性倫理の改変は、世界中で起こった。我々もその実例を身近に知っている。

日本の古層より

現在、日本人は性的に奥手であるというイメージがしみついている。デュレックス社の公開する性的活動性のランクでは、東アジア諸国は全体的に性交頻度が少ないが、日本は中でも群を抜いている【198】。

さらに、不妊治療大国としても知られる。多くの生殖年齢の男女が子を残すために医療的サポートを求めているが、成功率が低い【199】。結婚しても、定期的にセックスのない人たちが、若い人たちの中でも急増している【200】。

民族的に近い社会は、性にまつわる問題でも類似の傾向を示す【201】ため、遺伝的・生理的な背景を想定しがちである。

しかしながら、日本人の「非性交化」はここ数十年で急速に進んだものだ。かつて、この国の人々の異性愛および同性愛の奔放さは、戦国時代や江戸時代に日本を訪れた西洋人を驚かせた。性的な活動性はホルモン濃度に影響されるが、その発現の型には文化や個人の発達、生活習慣の影響も大きいため、性行動の違いをもたらす要因は生物学的なものだけであるとは考えにくい【97】。

日本は国生み神話の冒頭から、性に関する直接的な描写があるのが特徴的である。

是《ここ》に其《そ》の妹《いも》伊耶那美命《いざなみのみこと》を問ひて曰《の》りたまはく、「汝《な》が身はいかにか成れる」とのたまふ。答へて白《まを》さく、「我《あ》が身は成り成りて、成り合はぬ処一処《ところひとところ》在《あ》り」とまをす。尓《しか》して伊耶那岐命《いざなきのみこと》詔《の》りたまはく、「吾が身は成り成りて、成り余れる処一処在り。故此《かれこ》の吾《あ》が身の成り余れる処を以《も》ち、汝《な》が身の成り合はぬ処に刺し塞《ふた》ぎて、国土《くに》を生み成さむと以《お》為《も》ふ。生むこといかに」とのりたまふ。伊耶那美命答へて曰《まを》さく、「然善《しかえ》けむ」とまをす。尓《しか》して伊耶那岐命詔りたまはく、「然《しか》あらば吾《あ》と汝《な》と、是の天《あめ》の御柱《みはしら》を行《ゆ》き廻《めぐ》り逢《あ》ひて、**みとのまぐはひ**為《せ》む」とのりたまひき。かく期《ちぎ》りて、詔りたまはく、「汝《な》は右より廻り逢へ。我《あれ》は左より廻り逢はむ」とのりたまふ。約《ちぎ》り竟《を》へて廻る時に、伊耶那美命まづ、「あなにやし、えをとこを」と言ひ、後《のち》に伊耶那岐命、「あなにやし、えをとめを」と言《の》りたまふ。……

（『新版　古事記　現代語訳付き』【202】）

　他文化圏と同様、日本においても原始宗教は、豊穣を祈る生殖祭祀とシャーマニズムを中心としていた【203】。

日本各地で出土している縄文時代の遺物に石棒があり、男性器をかたどったものである。神道も長らく社は持っていなかった。崇拝対象は山などに加えて、大木や奇岩である。男女の生殖器を連想させるかたちであれば、特に珍重された。時代を下っても、生殖崇拝は道祖神や農耕祭祀の中で引き継がれた【204, 205】。

　さまざまな神事や祭りは実際の性的交わりを含み、それを通じて神と交信するとされた。また、巫女や芸能者は、崇敬者と性交を行うことがあった【206】。

　男装の女性巫女として、芸能の担い手でもあった白拍子は、南北朝期より以前は権力者との距離も近かった【207】。安土桃山時代から江戸時代初期にかけて、出雲大社の巫女であったとされる阿国によって創始された歌舞伎も、一座が異性装をして踊るところに意味があった。

日本本土と南西諸島では、神がかりとなる役割は主に女性が担う【208, 209】。しかし、通例、女性の巫人の中に、しばしば女性的な男性が含まれていることはあったようだ。

例えば、沖縄のユタの中にはよく、女装の男性ユタが含まれていた。考古学的には、種子島の広田遺跡から、弥生時代後期の人骨が出土している。通常女性のみが身につけるシャーマンの衣装が、男性人骨を包んでいた。この人物は、他の一般的な女性シャーマンよりも地位が高かったことが、豪華な副葬品から見て取れた【210, 211】。

これはしばらくの間、「双性の巫《ふ》」の埋葬の証拠として、学術論文として発表されているものとしては最古の例であった。シュメールのガラ、ローマのガッライほど大規模ではないが、トランスジェンダーの宗教的職能集団も存在した形跡がある。

平安時代末期から室町時代にかけて、女装の男性巫人として、東国中心に民間の宗教者として活躍したのが持者《ぢしゃ》である【106】。持者とは持経者のことであり、法華経行者のことを指すのが一般的である。鎌倉の鶴岡八幡宮に仕えている持者もいた。八幡大菩薩は、法華経の第一の守護者であるとされていた。

日蓮登場後、日蓮宗の法華行者は、修験道や密教と並んで呪術性の高い祈祷を行っていた【212】。持者の実態については、さらに調査を進める価値がありそうだ。

もののふと僧

日本で、同性愛が異性愛と比較して異端視される要素がなかったのは、メソポタミアや古代ギリシア、ローマと同様だ。奈良時代末期に編纂された『万葉集』にも、男性同士の恋愛を連想させる歌が何首か見られる。

しかしながら、男性間の性愛が様式美をもって隆盛を誇ったのは、特に、武士における衆道や寺院における稚児文化である【213, 214】。いずれも、男性同性間の結びつきに高い精神性を付与する点を特色とする。

武士でも僧侶でも、多くは、大人の男性とそれを受け入れる若年の男性との間で一対一の排他的な恋愛関係が持たれる。衆道では念者と若衆であり、仏教文化では僧侶と稚児との関係となる。1716年に佐賀藩士山本常朝によって口述された『葉隠』は、武士道の中での衆道、すなわち男性同士の排他的な愛情の理想像について熱く語っている。

これらの例の中には、世界的に共通する、同性愛文化が発展する要因の縮図を見ることができる。それは、

1. 異性との接触が少ない環境で、同性同士長く一緒に過ごしている。
2. 生活や職業を有利に進めるため、同性と長く続く絆を作る必要がある。
3. 異性との性交が禁じられている。

といったものだ。

こうした条件下で同性間性行動が頻繁に見られ、機能的な意義を持つのは、これまで見てきたようにヒト以外の生物とも共通する。

加えて、人間社会に特有な要素として、

4. 特別な宗教的、神秘的な意義の付与【102,107,167】。
5. 恋愛感情にこだわったり、記録に残したりできるだけの生活の余裕と、教育レベルの高さ。

が挙げられる。

権力者が若者を寵愛する際には、寵愛を受けた者の社会的地位を顕著に上昇させる。

結果、自ら家族を持ち、子を作ることにより、その人物の繁殖成功度も上昇する。これまで主流の議論の中では、見落とされてきた配偶戦略の形態である。もっとも、それが原因で嫉妬した権力者に手打ちにされては、元も子もないのだが……。

日本の宗教と性倫理

集団的な性倫理の変遷を考える上で、避けて通れないのが宗教とのかかわりである。日本古来の宗教観では、禁欲を続けることを良しとする要素がない。

1972～74年に中国で見つかった馬王堆《ばおうたい》という遺跡では、埋葬された女性のミイラと共に、性交を用いた養生法を記述した最古の文献が見つかっている。文献の成立時代は戦国もしくは春秋時代、紀元前700年頃と推定される。

性交を用いた養生法とは、すなわち道教の房中術《ぼうちゅうじゅつ》である。性交を用いて「気」を練ることを通じて、長生きや霊力の獲得を目指すものである。道教は正式に日本に導入されたわけではなかったが、漢字などの大陸の文化とともに流入し、神道の儀式から修験道、道祖神まで、他の習俗と混交して日本人のエートスの一部をかたち作っている。

これに対し、インドで発祥した初期仏教は、修行者に完全禁欲を求めていた。男女間の性交はもちろん、男色もそれによって快を得ることは禁じられた。

日本で最初に広まった仏教は戒律を重んじる律宗である。僧は肉食妻帯はできないし、国家によって身分が管理されている。宗教的な戒律上も、国家的にも、僧は女性と性的関係を持つことを禁じられていた。

一方のインドでは5世紀末より、ヒンドゥー教神秘主義の古来の修法を取り入れて、仏教の密教化がすすんでいた。インドには古くから、性のエネルギーを使った養生と、意識変容の方法——性ヨーガ【215】——が存在した。真言宗の中心経典である理趣経の成立は8世紀とされる。後期密教の確立時期である。

空海は、日本に密教を導入したときに、性交を用いた修行法の存在は当然知っていたはずだ。彼は入唐する前に修験の修行を行っている。修験道は道教の要素を含む実践宗教である。また、空海が唐から持ち込んだ理趣経には、性の快楽を菩提にいたる道の一つとして肯定する節が存在する。最澄は理趣経の内容について知見を得ようと空海に依頼したが、拒絶された。空海曰く、実践を伴わない者には教えられない、というのである。

一方で、性ヨーガと関係する要素の強い歓喜天や荼枳尼《ダキニ》天といった、ヒンドゥー由来の神仏について、空海はきわどい点は注意深く隠しつつ日本に伝えている【註13】。さらに、密教で重視される愛染明王は、愛欲を肯定して菩提に導く存在とされる。

禁欲を命じている仏教の戒律上、女色は避けなければならない。しかしながら、西洋の修道士にも見られるように、完全に禁欲することは困難である。

こうした要請が相まって、寺院で働く若者を女性的に装わせ、師僧と性交することを神聖な行為として行う儀礼が11世紀以降盛んになる。これを児灌頂《ちごかんじょう》といい、天台宗や真言宗の大規模寺院で行われた【106, 219, 220】。稚児は、観音菩薩の化身とされた。

海外では、宮廷に仕えたり聖歌を歌ったりといった特別な奉仕をする男子を、去勢してしまう慣行が広がっていた。だが日本ではそうした習慣はなく、思春期前後から青年になる前の数年間のみ僧の妻役となり、その後は男性として生活した。

稚児との性交は他宗派の僧侶でも盛んで、周知の事実であった。建前上は、男色も戒律違反だけれど、女性と性交する女犯よりはマシだと、とらえられていたようだ。

男性同性愛の世俗化と衰退

戦国武将による小姓の寵愛を典型例とし、江戸で衆道として様式化された武士による男色文化の方は、17世紀に入ると次第にかげりを見せ始める。

衆道をめぐった痴話げんかや刃傷沙汰が頻繁になり、いくつかの藩では男色の禁止令が出された。17世紀半ばには、幕府が、男娼目的の少年の人身売買を禁止するに至る。

江戸時代には、平和な世が続いたことにより、男性同士の契りと忠誠を、女性との性愛と比較して重要視する必要が薄れてきた。また、中世までは神聖性の名残があった売春が一般民衆に広がることで、快楽追求の商業主義に取り込まれる。風俗としての男色が盛んになったのは武士道的な衆道が下火になった後、17世紀末より19世紀前期までの150年間であった【221】。

井原西鶴は武家社会における衆道のみならず、僧や町人も登場する『男色大鑑（1687）【222】』を著したし、寺の門前町には、精進落としのための陰間茶屋が繁盛し、男娼たちが働いていた。性行為を誇張して描いた浮世絵である枕絵も、性教育の道具や縁起物として普及した。異性性交の枕絵の中でも、十数枚、もしくは二十数枚のセットには一枚

*13 チベット密教の曼荼羅には、登場する諸仏が明妃と抱き合っている姿であらわされるものがある【216】。日本においても、歓喜天（ガネーシャ）像は十一面観音と抱き合っている姿であらわされる。基本的に秘仏とされ、開示すると祟りがあると恐れられている。また、仏教系稲荷の本尊とされる荼枳尼天は、性ヨーガで相手役を務める女性たちに由来している。真言宗の中に立川流という、性ヨーガを実践しようとする流派は存在し、後醍醐天皇はこの流派と関わりがあった。しかし立川流は真言宗内部の派閥争いに負け、江戸時代中期には風紀紊乱を理由に完全に禁止されるに至る【217, 218】。

くらいの割合で男性同士の組手が含まれていた。将軍家では、徳川家光や綱吉がたいへん男色を好んでいたことが、複数の文献に記載されている。

だが19世紀後半、明治維新に伴う急速な西洋化が進められたことで、寺院の稚児制度を含めて男色文化が徐々に息の根を止められていく。

中世までは、神道に社や儀式といった体裁を整える上で、密教系を中心として仏教が大きな役割を担っていた【223】。明治維新にいたるまでは、そうした結びつきは人々の信仰心に深く根付いていた。大黒天、弁財天、稲荷といったヒンドゥー教の神々と習合した神祇が、神社仏閣のいずれでも祀られているのはその名残である。しかし、一神教をまねた神仏分離令により、日本古来の信仰心や神秘主義は、大量の仏像と共に破壊されてしまった。

明治時代以降、僧侶は、宗派を問わず妻帯を許されることになったので、同性愛文化を維持する必然性がなくなった。そして、男女の性を2つに峻別し、永続的な一夫一妻が必然であるとする性にまつわる外来の「常識」が広まっていった。

祭りに際しての乱婚的な習俗、男色も時代遅れの悪習として取り締まりの対象となり、一夫多妻も表向きは非難されるようになる。しかし、これらの性習俗は一朝一夕に根絶することは難しく、大正期頃までは、ここかしこに残っていたようである【107】。

Part6
宗教戦争としてのホモフォビア・トランスフォビア

生物学的なベースは、セックスではなくジェンダー

ジョーン・ラフガーデンの著した『*Evolution's Rainbow: Diversity, Gender, and Sexuality in Nature and People*』という本がある。２００４年に出版されている【102】。挟んである伝票を見ると、わたしがこの本を購入したのは２００６年。まだ博士課程の院生だった。

この本ではダーウィンから派生した、適応主義的な性淘汰理論を根本から否定している。雌雄の二分論も否定している。読んだわたしは、著者は極端な思想を持つ生物学者だと思い、その後は放っておいた。

当時の自分は、典型的な性淘汰理論にもとづく進化心理学のロジックに依拠し、主に女性や、性別移行中のトランス男性での男性ホルモンを含む、多くの性ホルモンの動態を調べていた。

生物学寄りの立場をとる研究者たちは、性行動や、性にまつわる特徴は基本的にホルモンや遺伝子で決まるものと考えていた。だから、「ジェンダー」という言葉が出てくると、それは説明を放棄したようにしか見えなかった。「ジェンダー」がどういうものかに関する、納得できるスッキリした説明が見当たらなかったからである。それまで学

んできた、生物学的な説明との関連性も不明だった。

したがって、進化やホルモンを用いた説明と、ジェンダーを用いた説明は、互いに排除し合わないまでも、対比される要因であるように思われた。

しかし、困ったのはトランスジェンダーの存在であった。神経内分泌系の論文では、性別違和も生物学的な現象であると示唆していた。それには納得したものの、**トランス女性とトランス男性の出現性比が文化によって大きく異なる**という、やっかいな問題があったためだ【224】。東欧の民主化など、文化が変わると出現性比も変わることが分かっており、文化が影響を与えているのは明らかだった。

さらに、性ホルモンによる胎児期の脳の性分化の説明のみでは、性的マイノリティの出現頻度の非対称性を説明しづらい。

すなわち、同性愛に向けた性的指向は、男性の方がはっきりしていて、女性は環境によってやや流動的である。一方で性自認の個人差は逆であり、トランス男性の方が、トランス女性よりも、幼い頃からはっきりと違和感を自覚しているケースが多い【95】。

生物学的に説明しようという前提を持つ者は、暗黙のうちにセックスの方がベースだと考える傾向があると思う。ジェンダーは、その上に後からかぶさった、文化的な薄皮にすぎないと考えるわけである。だって、ジェンダーは交尾回数や子の数のようには測定できないではないか？

しかし実はジェンダーの方が生物学的にベースとしてあり、性行動はジェンダー表現のバリエーションの一つである、という風に考えるならば、いろいろな矛盾していた説明がピタリと収まる。

すなわち、わたしたちは**セックス＝生物学の領域、ジェンダー＝人文社会学の領域、という分類**に自ら幻惑されていたのである。

性淘汰ではなく社会淘汰

さらに、適応主義についての問題点がある。

性淘汰の知見を、人間の意思決定プロセスの背景に想定することで、それまで整理が難しかった性にまつわる行動のあれこれを分類、予測しやすくなったことは確かである。

例えば、進化心理学の知見を流用し、文化的な背景も解説した『なぜ美人ばかりが得をするのか』（*Survival of the Prettiest*, ナンシー・エトコフ著）【225】は世界的に好評を博した。何故わたしたちはヒトの特定の外見に魅力を感じるのか、について、生物の配偶者選択の知見をもとに論じている。

しかし、ここで気を付けなければならないのは、**生物の行動の発現は、他個体の行動を含む環境によって変わらざるを得ない**、ということである。特にヒト社会のように文化環境が短期間で大きく変わる社会では、数十年前の淘汰圧が同じように働き続けている保証はない。現にここまで、性に関する倫理規範が数十年の間で180度変わりうることを見てきたではないか。

進化生物学から派生した適応主義の理論（進化心理学もそのひとつ）は、ヒトの行動や社会を分かりやすく解説するように見える。そして、説明に容易に当てはまらない行動について、「遺伝子の拡散にどのように役立っているのか」の説明をいちいちひねくり出そうとするようになる。

しかし、「ゲイ遺伝子」を探索する大規模な遺伝子研究が、互いに一致しない結果を示していることを思い返してみよう。**ありふれた行動の変異や意思決定が、遺伝子のバリエーションと直接マッピングされるという前提は、あまりにも物事を単純化しすぎている。**

さらに、当然のことだが人間も他の生き物と同じく、生殖のためだけに恋愛や性行動をするわけではない。

妊娠する見込みのない年齢の女性でも、パートナーと性行動をすることがあるし、新たに恋に落ちることさえある。相手が大きな障害を持っていたり、生殖能力がないことが分かっていたりしても、あえてその人と結婚しようとする人がいる。自分とまったく血縁のない子を養子に迎えて、愛情を持って育てる人もいる。

これらは従来の適応主義では説明しづらい。

これらを鑑みてわたしは、ヒトや生物を恋愛や性行動に向かわせる心理メカニズムの本来の機能は、通常結びつきがたい個体同士を、引き寄せること自体にあるのではないかと思いいたった。

そんなことは当たり前じゃないか、と思われる方が大多数かもしれないが、これは、恋愛＝生殖のための適応、であるという前提から出発する適応主義者にとっては、コペルニクス的転回である。

そして、放置していたラフガーデンの著作に立ち戻ってみると――性行動にまつわる進化は、性淘汰ではなく、社会淘汰としてとらえるべきだ、と書かれているではないか【103】。

すなわち、**個体同士の協力行動を促すための淘汰**、ということである。

この見方に従えば、数知れず行われる性関連行動の中で、生殖は特定の状況のもとで帰結するオプションの一つにすぎない。

なぜヒトの社会で同性愛が忌避されるようになったのか

進化系統的な分析にもとづき、**同性愛はそもそも生物にとって特殊ではない**のではないか、というモデルを提案する研究が相次いでいる【6】。

中でも、直《ちょく》鼻《び》猿類《えんるい》【註14】、類人猿、ヒトは基本的に両性愛であり、それはフェロモンを感知するＴＲＰＣ２という遺伝子の欠失によるものである、という２０２１年のプファウの論文【7】は大いに物議をかもしている。

そこでは、そもそもヒトをはじめとして、いろいろな霊長類をさらっと両性愛と言っていいのかという疑問。また、性的指向が一つの遺伝子で影響を受けるという前提は単純化しすぎではないかという疑問、が挙げられている。

Ｐａｒｔ５では、世界史と日本史を概観することにより、

1. 自集団と他集団を区別する必要性が高まったとき
2. 優位な文化圏の慣習に同調しようとするとき

*14 直鼻猿類とは、アフリカとユーラシア大陸にいるサルたちのうち、キツネザルなどの曲鼻猿類を除いたグループ。ニホンザルやヒヒなど。

3.同性間の紐帯を強調する必要が薄れたとき
4.風紀紊乱への危惧、特に少年の人身売買に対する危惧の高まり

といった条件下で、性的マイノリティへの迫害が生じやすいことを見てきた。

そして、1.と2.の中身を詳しく見ると、次のような要素が含まれることが推測される。

5.禁欲主義の要素を含む、「自然は善」とする倫理観の普及
6.同性愛文化やトランス文化を擁する、性を用いる宗教セクターの排除

これはまさに、**「生殖のためだけの性」を強調することを通じた、「コミュニケーションのための性」の排除**と言えないだろうか。性淘汰による進化と、社会淘汰による進化、という考え方の対比に似ているようにも思われる。

コミュニケーションのために性を用いる文化(6.)は、社会を生殖統制しようとする国家宗教(5.)から目の敵にされやすい。共存している時代もあるが、軍事的優位性を目して、拡大家父長制を敷く根拠【226】を5.に置くとき、6.は排除の対象となるだろう。

東アジアでは、儒教がそうした思想の裏付けとして利用された。

以上の要因分析は、これまでの文献で論じられてきた説明をまとめた仮説である。いろいろな社会の動態に、どのくらい当てはまるかを検証するには、文化進化学的な分析などが有用だろう。

ヒトはもともと両性愛？

ここまで本書を読んできても、とても自分に同性愛の要素があるなんて考えられない、と感じる人は、特に男性では少なくないのではないだろうか。性的マイノリティ問題に対する許容度は、概して若い女性で高いことが知られている。

これは**男性と女性との間で、性的指向や反応の発達、学習に非対称性がある**ことにより説明がつくかもしれない。

女性の場合は、性的なビデオを見せられた場合の生理的な反応は、本人の性的指向や性的欲求とあまり関係がない。そもそも、自分の性的欲求を知覚するのが困難な人の割合が高い。

これに対して男性は、自分の性的指向に合致しない刺激には反応しない。さらに、「自分が性的に興奮しているかどうか判別できない」ことも起こりにくい。性的な刺激にさらされた際の男性の脳では、視床という、大脳皮質と外部からの感覚刺激の中継点が活発に活動する。これは女性では見られない特徴である【97】。

それではどのようにして、男性同性愛が皆に実践される文化と、マジョリティからは忌避される文化の、両方が生じうるのだろうか。

理由は、**性行動に関する発達学習のための臨界期は男性の方が早く、いったん確立した後に変化しにくい**ためである、と考えれば説明がつきやすい。Part3で紹介した、キンゼイによる性的指向の年齢による変化の報告を思い出して欲しい。男性では異性愛の性的指向は思春期から成人期にかけて確立していくが、女性では成人後むしろ確信度は下がっていき、両性愛・同性愛に変わる余地を残している。

鳥における性的刷り込みについても、メスよりもオスにおいて、生育環境の影響が顕著にあらわれていた。

とても自由な性規範が実践されている社会で、特に男性の同性愛に対する禁止が生じる際に、どのような理屈が用いられたか思い返してみたい。「行動の伝染」は根拠として挙げられても、「同性愛遺伝子の遺伝」は理由とされなかった。

これは現在の感覚とは逆で、**人間にはもともと両性愛の素質があり、誘いがあれば多**

くの若い男性は同性との性行動に走るおそれがある、という観察にもとづく推論があったためではないだろうか。性的マイノリティを弾圧しようとする側は、生物学者が想定するような、「性の発達が特異的なヒト」を見つけ出そうとしていたわけではなさそうだ。

これまでは、**セクシュアリティ＝生物学的で生得的な性、という先入観**が、特に生物学側のアプローチをとる研究者の中では強かった。しかし、歴史的な証拠を見ていくならば、「男性にとって典型的な性行動」も文化によってあらわれ方はさまざまであった。

異性愛も嗜好の一つ

このような、性特異的な行動のセット＝ジェンダーは、ヒト以外の生物にとっても、二元的であったり、固定されたものであったりするとは限らないことを、これまでの例で紹介してきた。

人間では、フェティシズムやサド・マゾヒズム、小児性愛、動物性愛など、特別な性的な好みは性嗜好と表現され、異性愛か同性愛かといった性的指向とは、はっきり区別されてきた。

心理・生理学的な知識を持つ人にとっては、性的指向は、脳の性分化の特異性とかかわり、生得性が強く、人格の根本にかかわるということが含意されてきたと思う。それに対して、性嗜好とは、処理される脳部位や、学習経路はもっと副次的で「後天性」が強いものであるとイメージされてきた。

しかし本書で述べてきたように、ヒトを含むさまざまな生物において、どちらの性の相手と性行動をとるかという選択を含む性特異的な行動セット――生物学的な意味でのジェンダー――も、これまで想定されてきたより流動的であることが分かってきた。学習の影響も、少なからずあると見なした方が妥当そうだ。

この考え方は、性的指向の定義を、少し嗜好寄りに動かすものである。

しかし、そうした意味では、同性への性的指向に限らず、むしろ**異性愛指向も、性嗜好のひとつと言える**のかもしれない。

性規範の同異はグループの中で連帯感を作り、外れた者を排除するための認知装置として、とても効果的に働く。人々と1ミリも接点のない芸能人の不倫が、報道を何週間もにぎわすほどの重大事件になるのがよい例である。現代社会においては、共通する性規範は、宗教そのものよりも、**排他的社会グループを定義する上で効果的**なようだ。

類似の例として、食物に関する忌避も挙げられるかもしれない。

さまざまな食物に関するタブーは宗教規範をかたち作る要素である。成長の際に身につけた食習慣は、昔からそうであった伝統であるかのように、自他の集団を区別する道具となる。例えば現代の日本人なら、犬を食べることにはかなりの抵抗があるだろうと思う。

しかし、食の規範も数十年で変わる。わたしたちが小学生の頃は、クジラのベーコンは普通に食べていたし、小学校の廊下や理科室には、クジラのヒゲが山ほど飾ってあった。戦後の田舎で育った父は、家庭で犬を食べさせられたという。

だが、わたしとしては、お土産のイナゴの佃煮や蟻、カイコのさなぎは今のところ遠慮したい。最近は菜食中心の方が体調が良く、肉がメインの料理は減らしている。数十年後には、スーパーで動物や鳥の肉を売るのは、とんでもなく野蛮だ、という感覚が浸透しているかもしれない。

内集団と外集団を区別しようとする認知的メカニズムとして、感染などのリスクを嫌悪感情の高まりを通じて避けようとする「行動免疫システム」が進化心理学では提案されている。外国人や感染症患者など、見慣れない特徴を示す他者に対して生じる、過剰な差別意識を説明するのに用いられる理論である。性規範にもとづく嫌悪感情と食物規範は、いずれもかなり強力に差別意識を喚起する効果があるようだ。ホモフォビアやトランスフォビア、あるいは婚姻の排他性に関する信念の強さが、他のどのような指標と関連しているのか。

研究のネタとしては、なかなか有望なテーマではないだろうか。

Part7
多様性は繁栄への途

シリコン・ヴァレーは多様性でいっぱい？【227】

最後に、同性愛に限らない**「多様性」の意義**について述べよう。

適応主義の心理学者の中には、性行動ではなく、一般的な認知機能の性差について研究してきた人たちがいる。その中でも、胎児期における脳の男性化の程度が高いと自閉スペクトラム症になるという説は聞いたことがあるかもしれない【228】。

自閉スペクトラム症とは、社会的な文脈が読めなかったり、言葉の発達が遅かったり、同じ行動を反復することにこだわったりする、発達特異性の一つである。

少し前までは、言語発達と社会性に大きな問題を抱える人を自閉症、そうではない人をアスペルガー症候群、もしくは広汎性発達障害と呼んで区別していた。

ヒトの脳が大きく、知的になったのは、社会的知能が発達したからだと信じられていた。そのため、その重要な社会的知性が欠落しているように見える自閉症は、ヒトの知性の謎を解き明かすカギとして着目されたのである。

自閉スペクトラム症の人々は、共感性やコミュニケーション能力が低い一方で、物理や数学など、システマティックな物事を分析する才能に長けていることがある。これが一般的な男女の認知能力の大まかな差異と、パラレルであると考えられた【229-232】。

女性の方が言語発達が若干早く、発達の特異性（発達障害）を示す割合は低い。これは男性の方が空間認知能力が高く、理数工学領域で男性が多いことと、対になっているのではないか。すなわち、男女ともに胎児期に脳が男性化しすぎると、男性の得意領域が優れるのに対して、男性の認知能力の弱いところも強調されて、自閉スペクトラム症となるのではないかとする、イギリスのサイモン・バロン＝コーエンの唱えた「超男性脳仮説」である【233】。

胎児期の男性ホルモンのはたらきの強さの代替指標として、指の指紋の巻き方のパターン【234】から耳の中での音の反射の仕方【235-237】など、いろいろなものが考え出された。女性ではおおむね、男性性の強さを示すさまざまな指標が高得点であることと、自閉スペクトラム症と関連するとされる認知傾向の強さとの関連は、対応していた。

しかし、男性では結果はまったく一貫したものではない。

さて、ここで問題である。

格闘技やスポーツの選手と、数学やコンピューターのオタクと、どちらが男くさいと思われるだろうか。多くの人は、前者であると答えるのではないだろうか。自閉症傾向は超男性脳のあかしであると思い込んでいる、心理学者を除いては。

世界の偉人や天才とされてきた人たちの中には、高機能自閉症だったのではないかと推測されている人たちが多くいる。そうした人たちの中に、**性的マイノリティが高確率で存在していたらしい**こともまた、指摘されている【238-240】。たとえば、『イミテーション・ゲーム：エニグマと天才数学者の秘密』という映画にもなっている有名な例として、情報科学の基礎を作った数学者であるアラン・チューリングを思い浮かべて欲しい。哲学者のウィトゲンシュタインの方がイメージしやすい、という人もいるかもしれない。

もちろん、世の中で異能を持つ人がたいてい性的マイノリティだと言っているわけではないし、性的マイノリティであれば異能を持っていることを期待される、というのも違う。片方の特徴を持っていれば、もう一方の特徴も持つ確率が高まる、というくらいの意味である。当てはまらない人も、もちろん多くいる。

自閉スペクトラム症の人たちの間では、非異性愛者は、一般的な出現率と比較して2倍の頻度で見られる【241】。さらに、トランスジェンダーの人たちの中で、自閉スペクトラム症の出現率は7・8％程度であり、一般の0・8％の10倍程度の出現率である【242】。

アメリカ合衆国では、特異な能力を持った子どもたちをギフテッドとして選抜し、その子たちに合った教育をする取り組みが根付いている。ギフテッドクラスに入れるかどうかの選抜は、専用の認知テストや面接を経て行われる。単純な切り分け基準はＩＱの高さである【243】。

ギフテッドはしばしば得意領域と、そうでない領域の差が大きく、発達の特異性と鑑別が難しい。ＩＱが高すぎると、社会適応が困難になる【244】。あまりに得意領域の凸凹が大きくて、日常生活に困難をきたしている場合は、サヴァンと呼ばれる場合もある。サヴァンはさまざまな発達特異性を持つ人たちの間で見られるが、特に自閉スペクトラム症との関連性が強い。

ギフテッドクラスの学生たちを調べると、興味の方向性や性役割観は中性的な傾向があること【245】、および性的マイノリティの出現率が高い【246】ことが報告されている。

日本の歴史的ギフテッド――三島由紀夫と南方熊楠

過去の偉人のエピソードをもとに、発達特異性や精神疾患の特徴を分析しようとする、病跡学という分野がある。

残された資料をもとに、個人の発達特異性を推測することには批判も多いし、精神疾患や発達特異性のカテゴリー分けがそもそも妥当かどうかも、考えなければならないポイントである。

その上で、典型的な自閉スペクトラム症の分類には当てはまらないかもしれないが、認知や知覚の特異性の面で共通点があると思われる日本人の例として、作家の三島由紀夫を挙げたい。

三島の『仮面の告白（1949）【247】』は同性愛者としての発達を追った自伝的な小説である。冒頭は、自分は生まれた時の産湯のたらいのふちに当たった光の様子を覚えている、と主張するところからはじまる。周りの大人たちは決まってむきになり、そんなことはありえない、と説得を試みる。

定型発達者は乳幼児期に経験したエピソードは覚えていない。幼児性健忘という。知覚のインプットをデータ変換して長期保存するための脳機能が、まだ発達していないのである。

自閉スペクトラム症の人々は、幼い時分からの、周囲の物事についての感覚的な詳細情報を記憶している傾向が高い【248】。遺伝的に自閉症リスクが高いと推定される赤ちゃんは脳の発達が一般的な幼児とは異なっており、低次の知覚情報を処理する脳領野の発達が早いことが分かっている【249】。発達初期における感覚的な記憶が残りやすいことは、そうした神経科学的な発達経路の違いと符合する。

三島は、成人後も直観像記憶を持っていたとされる。これは一瞬見た情景をそのままイメージとして脳内に保存できる能力であり、自閉症サヴァンにはしばしば見られる。彼が自殺前に執筆していた『豊饒の海【250】』はアジアを股にかけた転生物語だが、舞台の情景を描写する際に、カメラは使わず短時間の観察をもとに詳細を記述したという。三島は執筆はもちろん、弁舌もユーモアにあふれて明快で巧みだった【251】。だからコミュニケーション能力が低くないではないか、と思われるかもしれない。

実は、語学習得や詩作がたいへん得意な自閉症サヴァンも存在する。自閉スペクトラム症のうち、言語能力の高いサブタイプが、過去にアスペルガー症候群と呼ばれてきたグループを形成しているという考え方もある。

アメリカ合衆国の工学者・動物行動学者であるテンプル・グランディンは、自らも自閉症者であり、自閉症者に特有の認知スタイルや教育方法について多くの著作がある。人を惹きつける、説得力あるTEDスピーチ『世界はあらゆる頭脳を必要としている【252】』を見て欲しい。彼女は4歳まで話せなかった。テンプル・グランディンの生涯は、『テンプル・グランディン 自閉症とともに』というタイトルで映画化されている。

グランディンは当事者たちとのコミュニケーションから、自閉スペクトラム症を持つ人が示しやすい、認知の強みを3パターンに分けている【253】。

1. **視覚思考者**。頭の中で画像イメージを操作することによって、高度な認知操作を行う。設計家のような、空間配置を操作するのが巧みな人と、美術家のような、色覚や質感の処理に優れる人とがいる。

2. **パターン思考者**。計算スキルや、音楽能力に優れた人である。

3. **言葉の論理思考者**。外国語の達人や、時刻表・数字を覚えるのが得意な人が含まれる。

三島は、このうち1.と3.の認知の特徴を示しているように見える。三島は中学生くらいの時から驚異的な語彙力を持ち、大量の執筆活動をこなした。極端に物書きに執着する認知の特異性を過書字（ハイパーグラフィア）とも呼ぶ。

そして、似たような認知の卓越性を示したもう一人の日本のギフテッドが南方熊楠《みなみかたくまぐす》である。彼は、明治時代から昭和にかけて活躍した民俗学者であり、植物学者である。漫画家の水木しげるが、熊楠の変人ぶりを、『猫楠《ねこぐす》 南方熊楠の生涯』という作品で表現している【254】。粘菌を収集し、明治政府の神社合祀に反対して熊野の森を守ろうとした、日本最初の環境活動家でもある。

熊楠は、直観像記憶と語学能力を学術活動に大いに生かしていた。18ヵ国語を習得し、ネイチャー誌に51報の論文、ノーツ・アンド・クエリーズ誌に324報の寄稿を英語で行った。ネイチャーに掲載された論文は短報ばかりだったものの、著者一人当たりの掲載数では歴代世界1位である【255, 256】。和文の論文、書簡、読書ノートも大量に遺されている。もっとも、そんな熊楠でも40代からは記憶低下に悩んでいたという。

熊楠の関心の対象に、性と、日本土着の神秘思想の発掘がある。

彼は数え年40歳で結婚するまで、女性と性的な関係を持たなかった。しかし、彼はクラフト・エビングなど当時最新のヨーロッパの性科学についての文献を読み漁り、古今東西の男色の記録を収集していた。熊楠には、真剣に愛した男性がいたのである。

そして、東西の文化における、男性同性愛から生じる高い精神性に関心を抱いていた。いわく、「浄の男道」である。

和歌山出身の熊楠は高野山に何度か滞在した。書簡に、「愛染明王は古ギリシアの愛神エロスに相当する神にて、もとは男色を司れり。」という記述がある。愛染明王は密教で重要視される仏である。当時はそうした伝承が伝わっていたのだろう。明治期には、寺院で稚児を務めた経験のある人物もまだ存命であったという報告と共に記載されている【257】。また、さまざまな半男女（ふたなり、当時で言う半陰陽のこと）の伝承に関心を持って集めてもいる。

天才はいいことばかりじゃない

真に偉大な天才は、常にわずかの狂気と共にあり【258】。

（アリストテレス。セネカ【註15】『心の平静について』より引用）

特殊な暗算能力、はるか以前の年月日に対応する曜日や出来事をすぐに思い出すことができるカレンダー記憶、卓越した音楽やダンスの才能。その人の、他の認知能力とはバランスが取れない、特に優れた認知能力を示す人々をサヴァンという【259，260】。

サヴァンの特性は、ダウン症を含む、さまざまな発達特異性のある人でしばしば見られる。最初にサヴァンの事例を学術的に紹介したのは、ダウン症の命名者となったダウン医師である【261】。全体的な知能指数、いわゆるＩＱの高さとは直接関係がなく、ＩＱが低い人も高い人も含まれる。

自閉スペクトラム症のサブタイプとして、サヴァン特性を持つ人は一般的に見られ、関係する遺伝子マーカーの同定も進んでいる【262，263】。数学能力に関しては、自閉スペクトラム症の人々は全体の平均としては、一般群と比較して学習障害の傾向を示す。一方で、一部は非常に卓越する数学能力を持つことが知られている【264】。

これに対して、「天才と狂気」の関係を見た研究では、統合失調症や気分障害との関係を調べているものが多い。気分障害とは、うつ病と双極性障害（躁うつ病）のことを指す。これまでもエピソード的な分析や小規模な調査で、関連性を支持する報告は複数あった。

1973年から2003年にかけて診断された、スウェーデン国民全員の記録を用いた分析も行われている【265】。うつ病であることと、うつ病患者の家族であることは、科学や芸術で卓越した能力を示すこととは関係がなかった。統合失調症患者の家族、および双極性障害患者の家族はいずれも、創造的な能力を要する職業に就いている割合が高いことが分かった。

統合失調症を持っている本人は科学の職に就く確率は下がるが、親や兄弟が科学者である確率がとても高い【註16】。

*15　セネカはローマ帝政時代のストア哲学者である。皇帝ネロの家庭教師を務め、政界にも強い影響力を持った。古代における「自然主義」道徳の提唱者。その禁欲主義的な思想は後世のヨーロッパに大きな影響を与えた。もっとも、本人は同性との性行動を盛んに行い、ネロにも勧めたと噂される。さらに、高利貸しによって巨利を得ていたという実態も、禁欲主義的な主張と相反するとされる。

双極性障害では、本人および親兄弟、子が科学や芸術の職に就いている確率が全般として高い。親族内で比較すると、本人が科学の職に就いている可能性は若干低い。なぜ親族を調べたかというと、これらの発達特異性や精神疾患は、遺伝率が高いことで知られているからである。遺伝子を共有する双子で一致率が高い、という意味の遺伝率だ。

DNA解析技術の飛躍的な進展のもと、これらさまざまな特性の要因遺伝子の探索も行われた。分かってきたことは大きく2つ。

1. それぞれの特性にかかわる遺伝子の数は非常に多く、数百にのぼる【266】。
2. 異なる特性や精神疾患の関連遺伝子の間で、オーバーラップするものがかなりある【267】。

よって、認知の特異性を遺伝子や生理基盤と対応させて研究するときに、従来の疾患カテゴリーはあまり意味をなさないかもしれないのである。特に、自閉スペクトラム症と統合失調症とは、症状や生理的素因に共通する点が多く、古い診断では混同されることがあった。

ヒトの個性は感覚が過敏であるとか、運動制御が不得意である、といった多数の中間表現型（エンドフェノタイプ）の組み合わせからなる。それらの組み合わせによって成り立つ、人によって観察・認識しやすいカテゴリーを、その時代の要請に合わせて発達特異性や精神疾患として名付けてきた。

そのため、それぞれの既存の疾患名称に対応した、はっきりと区別できる要因遺伝子群が存在するわけではない。

研究のインスピレーションと精神疾患や発達の特異性

統合失調症は、発症すると現実から遊離して日常生活が困難になる。スパイが自分の生活を監視しているというような、非現実的な思い込みで心と神経が侵されていく。古くは、精神分裂病と呼ばれていた。

ナッシュ均衡解を導いたことで、ゲーム理論で名前の出てくる数学者ジョン・ナッシュはこの病気に苦しんでおり、[*16]『ビューティフル・マインド【268】』はその人生を描いた

*16 南方熊楠の息子も病に倒れ、おそらく統合失調症であろうと診断されていた。

映画である。病気の進行に伴い、家庭生活にも暗雲が立ち込め、ナッシュは大学を追われてしまう。

一方で、目前の現実世界にとらわれない想像力のはばたきは、天啓的なインスピレーションの源でもある。

現代的な性格特性理論の確立者であるハンス・アイゼンクは、パーソナリティの個人差の背景に生物学的な要因を強く想定していた。アイゼンクの用いたパーソナリティ尺度はシンプルであり、外向性、神経症傾向、精神病質、の3因子しかない。アイゼンクは天才の研究もしており、精神病質、すなわち統合失調症的な傾向と天才が共起しやすいことを指摘している。

アイゼンクは、直感と、無意識での認知処理が創造性の発露に必須であることを認識していた。しかしながら、科学的な心理学の確立に邁進しており、フロイト的な説明を心理学の世界から一掃することを使命と心得ていた。1995年の著作『天才－創造性の自然史【269】』では、創造的認知プロセスの基盤として無意識の重要性を示しつつも、精神分析家のいう無意識とは違うのだと主張するのに苦心している。

ここで、数学の天才の例として愛されている、シュリニヴァーサ・ラマヌジャンを取り上げてみよう。彼にも、恐らく自閉スペクトラム症の気があったとされている。

ラマヌジャンは1887年にインド南部で生まれ、32歳で夭折した。正規の数学教育を受けていなかったにもかかわらず、独力で3900近くの定理や公式を発見した。そのうち3分の2は、当時知られていなかったものである。そして、すべてとは言えないが、数式のほとんどは正しいものであったことが、後に証明されている。彼が遺したノートからは式を導いた経路が見て取れるが、そこに証明は一切書かれていない【270】。

彼はバラモンの家系に生まれており、家族神であるナーマギリ・ターヤル女神に毎日祈っていた。夢の中で啓示を受けることによって、数々の数式を発見したという。だが、イギリスの大学での生活は合わず、健康を害してしまう。ラマヌジャンの生涯も『奇跡がくれた数式』というタイトルで映画化されている。

共感覚と宗教体験

実は、統合失調症と並んで自閉スペクトラム症に関しても、非日常的でスピリチュアルな物事に対する感覚や関心が強い人が多いことが知られている。

先に述べたテンプル・グランディンしかり。アイザック・ニュートンも、自閉スペクトラム症と双極性障害を持っていたのではないかという指摘がある。ニュートンはひそかに、錬金術の研究に没頭していた。

創造性のもととなる、特殊な知覚体験と意識変容、スピリチュアルなものへの関心をつなぐカギのひとつが、共感覚である。共感覚とは、互いに関係がないはずのモダリティ間の感覚が自然に結びついて感じられるものである【271-273】。

数字に色がついて見えるパターンがもっともよく見られる。音に色がついている、視覚的なデザインパターンから音が聞こえる、という人もいる。人の感情、あるいは女性の生理状態が色のついた雲として見える人もいる【274】。

自閉スペクトラム症で、かつサヴァン能力を持つ人たちは、共感覚を持っている率が高いことが分かっている【275, 276】。

こうした非典型的な感覚の結合は、幼児期には多くの人が経験するが、成長するにつれて薄れていく。

共感覚が保持されている場合、普段は意識することのできないかすかな知覚や情報処理を、日常的な知覚と併せて経験することで、創造性や記憶力を助けるはたらきがあると考えられる。また、無生物や現象に生き生きとした意味づけを付与することで、アニミズムにもとづく原始宗教の成立にも重要な役割を果たしただろう。

サヴァン能力や、共感覚の出現の仕組みを明らかにしようとする際に、貴重な手掛かりとなるのが、脳へのケガや病気で後天的にサヴァン能力が目覚めたケースである。前頭側頭型認知症をきっかけに、突然絵画の才能が目覚めた老人【259】。暴漢に襲われて脳に障害を負い、目覚めたら共感覚を得て、フラクタル図形が見え、さらに数学能力が開花した人【277】。

脳障害をきっかけとした共感覚の出現に関しては、神経のランダムな興奮により、視床という外部からさまざまな感覚を脳に中継する脳部位の均衡が崩れる。そして、異なる領域からのランダムな神経活動が、神経細胞層の第5層の錐体細胞における、空いている部分と接続することによって生じるのではないか、と提案されている【278】。

知覚変容と意識拡大のテクニック

異常な知覚体験を通してインスピレーションを得ようとすることは、従来さまざまな宗教実践で行われてきたことでもある。

中でも、中南米のインカやアステカ文明で用いられ、現在もシャーマンが用いているマジックマッシュルームや、アヤワスカという植物の根、北米先住民も用いていたサボテンの実から取れるペヨーテが、意識上のトランス状態に入ることを容易にする幻覚剤としてよく知られている【279，280】。

1960年代に、合成薬物であるLSDを用いた意識変容研究がアメリカ合衆国で盛んになった。先住民の用いていた幻覚剤やLSDは精神展開剤、すなわちサイケデリックスと呼ばれ、知覚を鮮やかにし、非日常的な気づきを与えることが期待されている。

アメリカでは濫用を危惧した非合法化を経て、幻覚剤が知覚と意識レベルの変容をもたらし、その人の人生の価値づけをも変える効果があることが、近年再発見された。そうした知覚と意識の変容体験が適応障害の治療に役立つと期待され、神経薬理学領域にブレークスルーをもたらしている【281】。

精神疾患に対して処方される従来の医薬品では、気分のレベルを変えることしかできない。いったん症状が落ち着いても、同じような思考パターンに陥るならば、うつ病が再発するなど、元の木阿弥になってしまう。ひとの習慣的な思考パターンは、独自の機能的神経結合をかたち作り、一般的な薬や生活習慣の改善のみではなかなか修正することができない。

だが、幻覚剤で意識変容体験をすることにより、その人の思考パターンを転換させるような、意味づけを持つ認識の組み替えができると期待されている。

これまでの脳機能イメージング技術では、深い瞑想状態やトランス状態にある人の脳

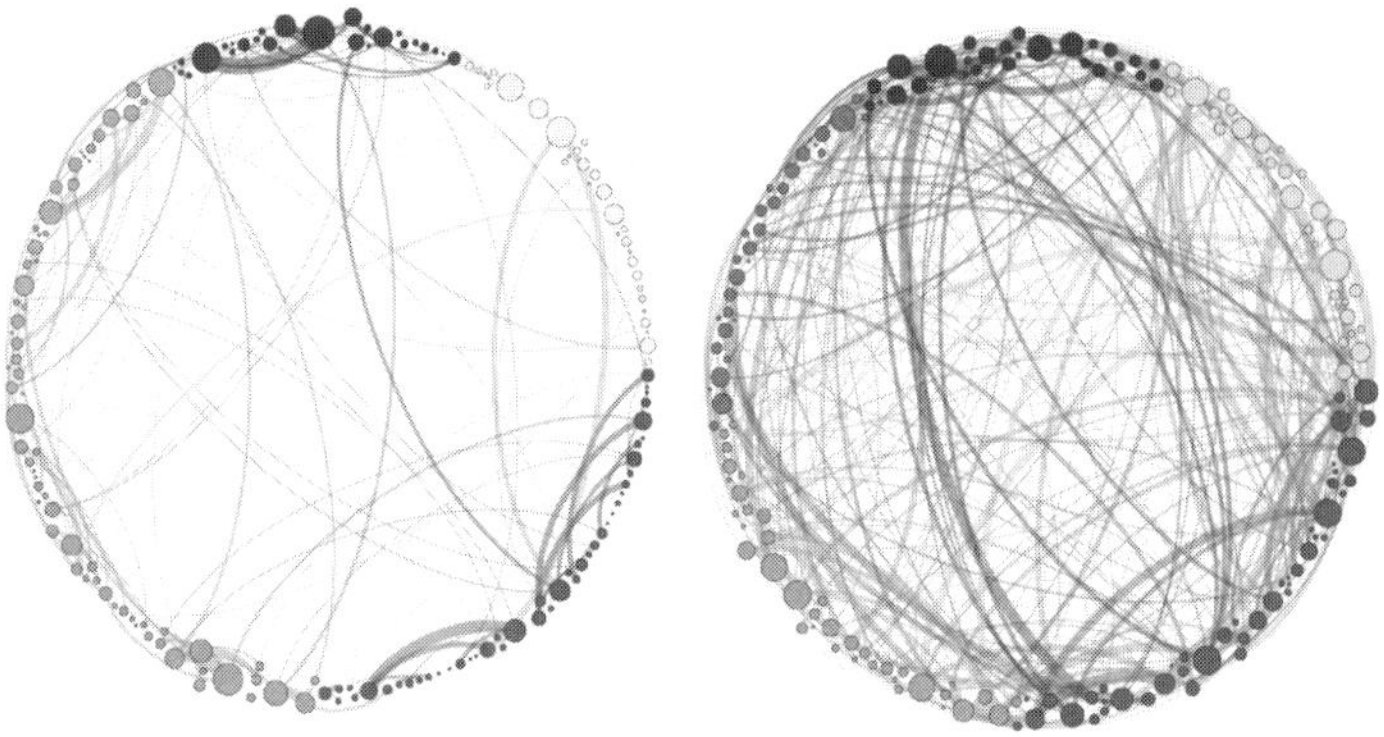

図8　マジックマッシュルームを使うと(右)、通常は接続のない脳部位間のクロストークが対象群(左)より増大する

内で、どのような神経のはたらきが生じているか、視覚的にとらえるのは難しかった。そのため、意識レベルの変化を再現性をもって、客観的な科学の俎上に載せることができなかったのである。

しかし、近年の測定技術と情報科学の発展により、そうした主観的経験についても、メカニズム解明の途が拓けてきた。天才のインスピレーションについて再現性のある記述方法を求めていたアイゼンクも、あの世でほっとしていることだろう。

脳内の細かな部位間の情報伝達の様子を可視化することにより、マジックマッシュルームの成分を投与すると、普段は関連性のない脳領野間の連絡が大量に生

図8　Petri et al. (2014) Journal of the Royal Society Interface. https://royalsocietypublishing.org/doi/10.1098/rsif.2014.0873

じることが明らかになった。まさにブレインストーミングである（図8）【282】。

特に、統一された自己意識を保つためのトップダウンの認知的制約を、身体感覚のインプットと照合する部位と、他の部位との間の直接結合が増大している【283】。この時、被験者は、深瞑想状態で得られるような、自分の肉体の制限を超えた感覚の拡大を経験している。

神秘主義的な物事に関心の強い自閉スペクトラム症や、サヴァン能力を持つ人たちは、薬物を利用しなくても、一般人と異なる意識状態や知覚特性を利用しやすいのかもしれない。それによって、記憶力を高めたり、常識にとらわれない発想や問題解決能力を得たりしているのではないだろうか。

てんかんと性ヨーガ

日本では、座禅を用いて意識の変容状態をつくる手法が発達した。座禅の達人の脳波を測ると、周期の長い、ゆっくりとした大きな振動が見られる。脳波計が壊れたかと、測定者を驚かせるほどのようだ。ゆっくりとした振動は、通常は熟睡や深昏睡の状態で見られる。すなわち、神経細胞がそれぞれ勝手に活動せずに、同期して動いていることを示す。

脳内の大量の神経を、強制的に同期振動させることになる病理的な現象に、てんかんがある。てんかんでは、病巣となる神経部位が発する異常信号を引き金に、脳の広汎な部位で長周期の律動的な振動が生じる。

患者は倒れ、身体はけいれんし、呼吸の制御も難しくなる。しかし、患者はその際に法悦《ほうえつ》（エクスタシー）を経験していることがある。ドストエフスキーはそうした体験を、創作の題材に活かしている。てんかんは、古代ギリシアでは神聖病と呼ばれ、てんかんの症状と、宗教的な啓示体験との類似性については、現代の神経科学も関心を寄せている【284–286】。

健康な人が日常生活の中で、小さなてんかん様の意識変容状態を経験する方法がある。それは、**性的オーガズムを用いるものだ**。古くからの祭りや秘教の儀式で、性行為が使われた理由はここにあると考えられる。古代ローマの医者であったガレノスも、てんかんと性的オーガズムとの類似性を指摘している【287】。

てんかんの発作の際にオーガズムを感じる人もいる【288】。すなわち、両者は本質的に似た現象であり、かつオーガズムを引き起こすのに性器への刺激は必ずしも必要ないことが分かる。

チベット密教の曼荼羅《まんだら》の中には、各仏がそれぞれパートナーの女性を抱いている姿であらわされるものがある。もっとも、実際に相手がいる性行為を用いた流派は多くなく、多くは観想上のセックスを用いた【289】。

ヒンドゥー教の伝統では、瞑想や性ヨーガを用いて、身体内部でエネルギーが上昇するさまを体得できるように訓練する。道教の房中術と類似のテクニックである。このエネルギーをクンダリーニという【215】。

日本の寺院にも、こうした智慧の痕跡が残されている。軍荼利《ぐんだり》明王という仏の存在であり、性ヨーガとかかわる天部の神――歓喜天《ガネーシャ》――の暴走を制御する力を持っているとされる。

21世紀の科学へ

本書の旅も終わりに近づいてきた。

ヒトの文化で宗教的な行為がいずれでも見られることは、その傾向が人類普遍的かつ、進化の帰結による認知のはたらきによっていることを示している。

しかしながら、従来の理論では、宗教が集団を結束させる機能について論じるにとどまっていた。自分の子孫や財産を残したいという欲求を含む利害関係を超えて、人々を結束させるような魅力をなぜ宗教が発揮し得たのか、という仕組みについては、触れられないままだった。

近現代の科学は、個人の意識体験や、それに結びつけられる価値のような、主観的事象を切り捨てることで客観性を担保してきた。心理学もその途に乗った。測定できるものには再現性がなければならない。しかし、人の力で再現できないものが存在していないとは言えない。

例えば、あなたが起きぬけに、とても興味深い内容の鮮明な夢を見たとする。あなたの人生観を変えてしまうようなインスピレーションを得たとする。

では、その夢を、同じようにもう一度見ることができるだろうか。おそらくなかなか難しいので、そのような出来事が生じることは「科学的に証明される」ことはない。

あるいは、あなたが人生の伴侶を選ぶ意思決定をした時のことを考えてみる。その相手が、どういう属性を持っていそうか、ということは確率的には予測できるだろう。どのくらいの交友関係の範囲か。年齢、性別。性格特性。趣味。体格などなど。

しかし、具体的にどの人物か、というところまでは「科学的に」は同定できないはずだ。多くの人は、自分のパートナーを、類似の属性を持つ別の人物と代替可能であるとは言わないだろう。

あるいは、生きている自分自身の意識の独自性を、他の人に対して証明できるだろうか。人間の営為が人工知能による処理に代替されつつあることを目前として、個人の意識体験や、再現性の難しい物事、および物事に対する価値づけ、を自然科学的に検討するための、新しいアプローチが求められている。

そのためには、これまで自然科学領域で自明とされてきた事物カテゴリーや、認識の枠組みを、とらえ直すことが必要となる。

性別と意識を越境する

生物学領域で、性のあり方について革新的な見方を提案してきた研究者には、女性やゲイ当事者が目立つ。近年は、トランスジェンダー当事者である研究者の提言が影響を強めている。

本書では、ジェンダーとセクシュアリティをめぐる認識の仕方を再構築することを提案した。そして、それを通して自然科学的な認識論と、人文社会科学的な問題意識とを融合させる方向性の一端を示したつもりである。

わたしが本書で伝えたかったメッセージは大きく分けて3つである。

1つめのメッセージは、**性が多様であることを認めても、生物学的な説明を放棄する必要はない**、ということである。「ジェンダー」という概念を生物学に導入することにより、同種同性の中での性戦略の多様性や、環境との相互作用についてとらえやすくなるのではないだろうか。性行動の発現のしかたが、ジェンダー・ロールの中に含まれることは、前近代の人間社会との比較で見てきた。

2つめのメッセージは、**性行動には生殖の役割のみならず、コミュニケーションの役割もある**ということである。この点はしばしば忘れ去られるが、本書では人間社会のみならず、高度な社会性を持つ、ヒト以外のさまざまな生物でも、性を生殖以外の文脈で用いている例を見てきた。そうした行動は、決して「進化適応の副産物」として片づけられるようなものではない。

3つめのメッセージは、**同性愛もしくは性別越境と結びつけられてきた精神性の中身について再評価すべきではないか**、ということである。

稚児文化を復活させるべきと言っているわけではない。そうではなくて、性に神聖性を付与していた価値観や、意識変容の役割について見直すことは、伝統的な智慧を活用してこれからの世界を生き抜くヒントになるのではないか、ということである。性や認知の多様性を持つ人たちの活躍しやすい場を整えることは、本人のみならず社会の豊かさを担保することにもつながる【290】。

世界は、「定型発達者」が再現性を持って追認できる現象を超えて広がっている。それは、自閉スペクトラム症や統合失調症、共感覚といった知覚の特性がある人の表現する数式や、フラクタル図形や芸術作品の中に、垣間見ることができるのかもしれない。

そういったものは、「常識的」な社会の秩序を脅かすかもしれない。しかし、そうした豊かな世界の広がりをも記述し、活用していく途もまた、拓かれている。わたしたちは多様であり、多様性があふれる星に生きているのだから。

まとめ――「おわりに」にかえて

『ナンパを科学する』から14年

わたしが先の単著『ナンパを科学する』を東京書籍より出版してから、もう14年が過ぎた。前著のもとネタとなったのは、「(主に若い女性が)道を歩いていて、見知らぬ男性から声をかけられる不快事象」、すなわちナンパと言われる現象であった。

自分が学生で、そうした経験をしていた当時は、ナンパが声を掛けられる側にとって不快や恐怖を覚えるものであることは理解されないことも多かった。さらに、そうした出来事がしばしば起きるということも、データを示さないと議論の俎上に載せることすらできなかった。

現在はどうだろうか。子どもに対しての事案がメインだが、地域で不審な声かけ事案があればアラートがスマートフォンに飛んでくる。大人の女性への声かけに関しても、海外ではストリート・ハラスメントという言葉があり、痴漢も含めて不快な事象であるという認識が共有されている。

一方で、過去に行われてきたような「男性＝性的に積極的な側、女性＝アプローチを受ける側」という前提をもとにした研究や言説は「性差別的だ」として非難される事態になっている。こうした流れは、特にアメリカ合衆国では強くなっている。

生きたい社会の要件定義を

研究も、社会的な言説も、法律も、生み出された経緯が存在する。たいていは、その時に生じていた問題を解決しようとして新しいパラダイムが提出された、というものだ。したがって、その文脈を忘れて議論をしても余計な時間がかかるだけである。

特に、本書で取り上げたジェンダーやセクシュアリティ関連も含む、社会問題を解決しようとするときには、漠然とした方向性は一致しても具体的な手段については意見が割れることがしばしばだ。すると、**当初の問題を解決することよりも、別のアプローチをとる派閥を攻撃することに、エネルギーの大半が投じられてしまう。**

既存のパラダイムを着物に例えてみよう。

着続けているとやがてほころびが生じるが、ほころびを見つけたからといって、ほころびを作った犯人をみんなで探し出して攻撃したり、不満をもらしたりしているばかりでは、いつまでたっても着物はそのままである。かといって、継ぎを当てるにも限界がある。

そんなときには、その着物を解体し、もともと誰の何のために、どのように仕立てられていたのかを確かめた上で、新たな用途に応じて仕立て直してみたらどうだろう。案外ユニークで斬新なものができるのではないだろうか。そんな思いで、これまでの研究史と文化史、ヒト以外の仲間たちの行動を振り返ってきた。

最後にひとつお断りしておかなければならないことがある。

本書では分かりやすくするために、「男性ホルモン」「女性ホルモン」という言葉を用いた。わたしはもともと女性や、男性に性別移行中のトランスジェンダーにおける男性ホルモンのはたらきを調べていた。最近は、クラインフェルター症候群という、性染色体の数を多く持っている人たちの認知の特徴を調べている。

本書で長々と述べたように、**性を男性／女性とくっきりと分けてしまうことは、生物学的にも社会的にも不正確である。**心身の性が2つに分けられるのが当然、という先入観をもとにつくられた、社会的なルールや医療的な制限によって苦しんでいる人もいる。

そもそも、性分化の仕組みや染色体、ホルモンの存在が明らかになる前には、医者も一般の人々も、典型的な男性と女性がはっきり二分されるのが正常であるという概念は持っていなかった。

男性ホルモンと呼ばれるものにも複数の物質があり、男性のみに作用しているわけではない。女性ホルモンも同様である。本書では書ききれなかったものの、男性＝男性ホルモン、女性＝女性ホルモン、という二分法も間違いである。そうした先入観により、医療被害も生じうる。

特に、医療的サポートを提供したり、社会的な制度設計をしたりする立場の人には、できるだけ頭を柔らかくして、当事者の人たちの中における多様性にも気をとめていただければと思う。

教養学部の役割――謝辞にかえて――

最後に、わたしが、本書で紹介したような内容に関わりを持つ、直接のきっかけをもたらした人たちを紹介する。

東京大学教養学部にて、適応行動論の授業を通じて「進化と人間行動」を探求する研究分野を示し、本書への推薦コメントを寄せてくださった長谷川寿一先生。ペンギンの同性愛の研究をしていた酒井嘉子《よしこ》さんを、共同研究者として紹介してくださった立教大学の上田恵介先生。性的マイノリティの方を対象とした、顔の選好の調査を卒業研究の一環として一緒に進めてくれた、現豊橋市議の長坂尚登さん。トランスジェンダーの研究をしたいと声をかけてくれた、正岡美麻《みお》さん。ジェンダークリニックや当事者活動家の方々への紹介の労を取っていただいた、佐々木掌子先生、石丸径一郎先生。また、現在一緒に研究を進めてくださっている、上智大学の齋藤慈子《あつこ》先生、多和田真太郎さん。

そして、ここに書ききれない多くの方々と、ここまで読み進めてくださった読者の方々。

「科学を通じた正義」を進めていくための議論に、引き続きお付き合いいただけると幸いである。そこで求められるのは、教養学部的な文理融合の視点である。

最後に、本書の文章を読みやすく魅力的な文体に整えてくださった、フリー編集者の佐藤喬《たかし》さん。佐藤さんとの出会いがなければ、この本は生まれていなかった。ベスト・タイミングな「やりあて【註17】」に感謝して筆をおきたいと思う。

坂口菊恵

*17 南方熊楠の造語。偶然の域を超えた発見や発明・的中のこと。

269. Eysenck, H. J. (1995). *Genius: The Natural History of Creativity.* Cambridge University Press.
270. Dehaene, S. (1997). *The Number Sense: How the Mind Creates Mathematics.* Oxford University Press. 長谷川眞理子&小林哲生（訳）(2010).『数覚とは何か?—心が数を創り、操る仕組み』早川書房.
271. Cytowic, R. E. (1993). *Man Who Tasted Shapes.* TarcherPerigee. 山下篤子（訳）(2002).『共感覚者の驚くべき日常—形を味わう人、色を聴く人』草思社.
272. Harrison, J. E. (2001). *Synaesthesia: The Strangest Thing.* Oxford Univ Pr. 松尾香弥子（訳）(2006).『共感覚—もっとも奇妙な知覚世界』新曜社.
273. Seaberg, M. & Bushell, W. (2011). *Tasting the Universe: People Who See Colors in Words and Rainbows in Symphonies.* New Page Books. 和田美樹（訳）(2012).『共感覚という神秘的な世界—言葉に色を見る人、音楽に虹を見る人』エクスナレッジ.
274. 岩崎純一 (2011). 私には女性の排卵が見える—共感覚者の不思議な世界. 幻冬舎.
275. Hughes, J. E. A. et al. (2017). Is synaesthesia more prevalent in autism spectrum conditions? Only where there is prodigious talent. *Multisensory Res,* 30(3-5), 391-408.
276. Hughes, J. E. A. et al. (2018). Savant syndrome has a distinct psychological profile in a utism. *Mol Autism,* 9(1), 53.
277. Padgett, J. & Seaberg, M. A. (2014). *Struck by Genius: How a Brain Injury Made Me a Mathematical Marvel.* Houghton Mifflin Harcourt. 服部由美（訳）(2014),『31歳で天才になった男 サヴァンと共感覚の謎に迫る実話』講談社.
278. Brogaard, B. (2013). Serotonergic hyperactivity as a potential factor in developmental, acquired and drug-induced synesthesia. *Front Hum Neurosci,* 7, 657.
279. 宮西照夫&清水義治 (1995). 古代文化と幻覚剤：神々との饗宴. 川島書店.
280. アシタカ·フリオ (2019). 神秘の幻覚植物体験記：中南米サイケデリック紀行. 彩図社.
281. Pollan, M. (2018). *How to Change Your Mind: What the New Science of Psychedelics Teaches Us About Consciousness, Dying, Addiction, Depression, and Transcendence.* Penguin Press. 宮﨑真紀（訳）(2020).『幻覚剤は役に立つのか』亜紀書房.
282. Petri, G. et al. (2014). Homological scaffolds of brain functional networks. *J R Soc Interface,* 11(101), 20140873.
283. Tagliazucchi, E. et al. (2016). Increased global functional connectivity correlates with LSD-induced ego dissolution. *Curr Biol,* 26(8), 1043-1050.
284. Devinsky, O. & Lai, G. (2008). Spirituality and religion in epilepsy. *Epilepsy Behav,* 12(4), 636-643.
285. Åsheim Hansen, B. & Brodtkorb, E. (2003). Partial epilepsy with "ecstatic" seizures. *Epilepsy Behav,* 4(6), 667-673.
286. Elliott, B. et al. (2009). Delusions, illusions and hallucinations in epilepsy: 1. Elementary phenomena. *Epilepsy Res,* 85(2-3), 162-171.
287. Foucault, M. (1984). *Histoire de la Sexualité (Tome 3) - Le Souci de Soi.* Editions Gallimard. 田村俶（訳）(1987).『性の歴史 3 自己への配慮』新潮社.
288. Komisaruk, B. R. et al. (2006). *The Science of Orgasm.* Johns Hopkins Univ Pr. 福井昌子（訳）(2014).『オルガスムの科学—性的快楽と身体·脳の神秘と謎』作品社.
289. Khangkar T. K. & 正木晃 (2008). チベット密教. 増補.筑摩書房.
290. Florida, R. (2008). *Who's Your City?: How the Creative Economy is Making Where to Live the Most Important Decision of Your Life.* Basic Books. 井口典夫（訳）(2009).『クリエイティブ都市論—創造性は居心地のよい場所を求める』ダイヤモンド社.

244. Webb, J. T. et al. (2016). *Misdiagnosis and Dual Diagnoses of Gifted Children and Adults: ADHD, Bipolar, OCD, Asperger's, Depression, and Other Disorders.* Gifted Unlimited, LLC. 角谷詩織&榊原洋一(監訳)(2019).『ギフティッド その誤診と重複診断: 心理・医療・教育の現場から』北大路書房.
245. Wilcove, J. L. (1998). Perceptions of masculinity, femininity, and androgyny among a select cohort of gifted adolescent males. *J Educ Gift,* 21(3), 288-309.
246. Wexelbaum, R. & Hoover, J. (2014). Gifted and LGBTIQ: A comprehensive research review. *Int J Talent Dev Creat,* 2(1), 73-86.
247. 三島由紀夫 (1949). 仮面の告白. 河出書房.
248. Zamoscik, V. et al. (2016). Early memories of individuals on the autism spectrum assessed using online self-reports. *Front Psychiatry,* 7(79).
249. Hazlett, H. C. et al. (2017). Early brain development in infants at high risk for autism spectrum disorder. *Nature,* 542(7641), 348-351.
250. 三島由紀夫 (1970). 豊饒の海 第三巻 暁の寺. 新潮社.
251. 豊島啓介 (2020). 三島由紀夫vs東大全共闘 50年目の真実. ギャガ.
252. Grandin, T. (2010). 世界はあらゆる頭脳を必要としている | TED Talk. https://www.ted.com/talks/temple_grandin_the_world_needs_all_kinds_of_minds?language=ja
253. Grandin, T. (2008). *The Way I See It: A Personal Look at Autism & Asperger's.* Future Horizons Inc. 中尾ゆかり(訳)(2010).『自閉症感覚 : かくれた能力を引きだす方法』NHK出版.
254. 水木しげる (1996). 猫楠 南方熊楠の生涯. KADOKAWA.
255. 唐澤太輔 (2015). 南方熊楠 : 日本人の可能性の極限. 中央公論新社.
256. kotoba2015年春号 (2015). 南方熊楠「知の巨人」の全貌. 季刊版. 19, 集英社.
257. 南方熊楠(著)、中沢新一(編) (2009). 南方熊楠コレクション〈第3巻〉浄のセクソロジー. 河出書房新社.
258. Clark, J. R. & Motto, A. L. de la (1992). The paradox of genius and madness: Séneca and his influence. *Cuad Filol Clásica Estud Lat,* 2, 189-200.
259. Treffert, D. A. et al. (2010). *Islands of Genius: The Bountiful Mind of the Autistic, Acquired, and Sudden Savant.* Jessica Kingsley Publishers.
260. Treffert, D. A. (1990). *Extraordinary People: Understanding Savant Syndrome.* 1990 Ballantine Books.
261. Down, J. L. (1887). *On Some of the Mental Affections of Childhood and Youth.* J. & A. Churchill.
262. Hu, V. W. et al. (2009). Gene expression profiling of lymphoblasts from autistic and nonaffected sib pairs: Altered pathways in neuronal development and steroid biosynthesis. *PLOS ONE,* 4(6), e5775.
263. Hu, V. W. et al. (2011). Novel autism subtype-dependent genetic variants are revealed by quantitative trait and subphenotype association analyses of published GWAS data. *PLOS ONE,* 6(4), e19067.
264. Chiang, H.-M. & Lin, Y.-H. (2007). Mathematical ability of students with Asperger syndrome and high-functioning autism: A review of literature. *Autism,* 11(6), 547-556.
265. Kyaga, S. et al. (2011). Creativity and mental disorder: Family study of 300 000 people with severe mental disorder. *Br J Psychiatry,* 199(5), 373-379.
266. Simons Foundation Autism Research Initiative. (2023 Jan). SFARI Gene. https://gene.sfari.org/
267. Anney, R. J. L. et al. (2017). Meta-analysis of GWAS of over 16,000 individuals with autism spectrum disorder highlights a novel locus at 10q24.32 and a significant overlap with schizophrenia. *Mol Autism,* 8(1), 21.
268. Howard, R. (2002). *A Beautiful Mind.* DreamWorks Pictures.

222. 井原西鶴 (2019). 男色大鑑. KADOKAWA.
223. 伊藤聡 (2020). 神道の中世：伊勢神宮・吉田神道・中世日本紀. 中央公論新社.
224. 坂口菊恵 (2010). 人間の性行動における生物学的基盤. In 近藤保彦 et al. (Eds.), 脳とホルモンの行動学—行動神経内分泌学への招待 (pp. 230-239). 西村書店.
225. Etcoff, N. (1999). *Survival of the Prettiest.* Doubleday. 木村博江(訳)(2000).『なぜ美人ばかりが得をするのか』草思社.
226. Todd, E. (2011). *L'Origine des Systèmes Familiaux. Tome 1. L'Eurasie.* Gallimard. 石崎晴己(監訳) 片桐友紀子ら(訳)(2016).『家族システムの起源〔I ユーラシア〕』藤原書店.
227. Silberman, S. & Sacks, O. (2015). *NeuroTribes: The Legacy of Autism and the Future of Neurodiversity.* Avery. 正高信男&入口真夕子(訳)(2017).『自閉症の世界 多様性に満ちた内面の真実』講談社.
228. Baron-Cohen, S. (2012). *The Essential Difference: Men, Women and the Extreme Male Brain.* Penguin. 三宅真砂子(訳)(2005).『共感する女脳、システム化する男脳』NHK出版.
229. Baron-Cohen, S. (2002). The extreme male brain theory of autism. *Trends Cogn Sci,* 6(6), 248-254.
230. Baron-Cohen, S. et al. (2005). Sex differences in the brain: Implications for explaining autism. *Science,* 310(5749), 819-823.
231. Baron-Cohen, S. et al. (2007). Mathematical talent is linked to autism. *Hum Nat,* 18(2), 125-131.
232. Baron-Cohen, S. et al. (2009). Talent in autism: Hyper-systemizing, hyper-attention to detail and sensory hypersensitivity. *Philos Trans R Soc B Biol Sci,* 364(1522), 1377-1383.
233. Baron-Cohen, S. et al. (2011). Why are autism spectrum conditions more prevalent in males? *PLOS Biol,* 9(6), e1001081.
234. Kimura, D. & Clarke, P. G. (2001). Cognitive pattern and dermatoglyphic asymmetry. *Personal Individ Differ,* 30(4), 579-586.
235. McFadden, D. (2008). What do sex, twins, spotted hyenas, ADHD, and sexual orientation have in common? *Perspect Psychol Sci,* 3(4), 309-323.
236. Ashton, R. & McFarland, K. (1991). A simple dual-task study of laterality, sex-differences and handedness. *Cortex,* 27(1), 105-109.
237. McFadden, D. (2011). Sexual orientation and the auditory system. *Front Neuroendocrinol,* 32(2), 201-213.
238. Fitzgerald, M. (2005). *The Genesis of Artistic Creativity: Asperger's Syndrome and the Arts.* Jessica Kingsley Publishers. 井上敏明ら(訳)(2009).『天才の秘密 アスペルガー症候群と芸術的独創性』世界思想社.
239. Fitzgerald, M. (2003). *Autism and Creativity: Is There a Link between Autism in Men and Exceptional Ability?* Routledge. 石坂好樹ら(訳)(2008).『アスペルガー症候群の天才たち—自閉症と創造性』星和書店.
240. James, I. (2005). *Asperger's Syndrome and High Achievement: Some Very Remarkable People.* Jessica Kingsley Publishers. 草薙ゆり(訳)『アスペルガーの偉人たち』スペクトラム出版社
241. Rudolph, C. E. S. et al. (2018). Brief report: Sexual orientation in individuals with autistic traits: Population based study of 47,000 adults in Stockholm county. *J Autism Dev Disord,* 48(2), 619-624.
242. de Vries, A. L. C. et al. (2010). Autism spectrum disorders in gender dysphoric children and adolescents. *J Autism Dev Disord,* 40(8), 930-936.
243. 石角友愛 (2016). 才能の見つけ方天才の育て方：アメリカギフテッド教育最先端に学ぶ. 文藝春秋.

191. Fisher, H. (2004). *Why We Love: The Nature and Chemistry of Romantic Love.* Henry Holt and Co. 大野晶子(訳)(2005).『人はなぜ恋に落ちるのか?—恋と愛情と性欲の脳科学』ソニーマガジンズ.

192. Fisher, H. E. et al. (2006). Romantic love: A mammalian brain system for mate choice. *Philos Trans R Soc B Biol Sci,* 361(1476), 2173-2186.

193. Fisher, H. E. et al. (2002). Defining the brain systems of lust, romantic attraction, and attachment. *Arch Sex Behav,* 31(5), 413-419.

194. Tennov, D. (1979). *Love and Limerence: The Experience of Being in Love.* Stein and Day.

195. Rubio, G. (2001). Inanna and Dumuzi: A Sumerian love story. *J Am Orient Soc,* 121(2), 268-274.

196. Bachvarova, M. R. (2008). Sumerian gala priests and Eastern Mediterranean returning gods. In Suter, A. (Ed.), *Lament: Studies in the Ancient Mediterranean and Beyond* (pp. 18-52). Oxford University Press.

197. Pinto, R. & Pinto, L. C. G. (2013). Transgendered archaeology: The galli and the Catterick transvestite. *Theor Roman Archaeol J,* 0(2012), 169-181.

198. Durex Network. (2005). The Challenges of Unprotected Sex. http://www.durexnetwork.org/face-of-global-sex/

199. 石原理 (2016). 生殖医療の衝撃. 講談社.

200. Moriki, Y. et al. (2015). Sexless marriages in Japan: Prevalence and reasons. In Ogawa, N. and Shah, I. H. (Eds.), *Low Fertility and Reproductive Health in East Asia* (pp. 161-185). Springer.

201. Wylie, K. (2009). A Global Survey of Sexual Behaviours. *J Fam Reprod Health,* 3(2), 39-49.

202. 中村啓信 (2009). 新版 古事記 現代語訳付き. 角川学芸出版.

203. 芳賀日出男 (1964). 神さまたちの季節. 角川書店.

204. 五来重 (1988). 石の宗教. 角川書店.

205. 宮家準 (2004). 霊山と日本人. 日本放送出版協会.

206. 樋口清之 (1985). 性と日本人. 講談社.

207. 脇田晴子 (2014). 女性芸能の源流：傀儡子･曲舞･白拍子. KADOKAWA.

208. 山路興造 (2020). 巫女の諸形態：賤視される巫女･されない巫女. 研究紀要 世界人権問題研究センター 編, 25, 1-32.

209. 鵜飼秀徳 (2018).「霊魂」を探して. KADOKAWA.

210. 国分直一 (1963). 日本及びわが南島における葬制上の諸問題. 民族學研究, 27(2), 441-452.

211. 金関丈夫 (1975). 発掘から推理する. 朝日新聞社.

212. 藤巻一保 (2004). 加持祈祷の本：邪気退散の秘呪と奇蹟の霊力 (New sight mook. Books esoterica ; 第35号). 学習研究社.

213. 氏家幹人 (1995). 武士道とエロス. 講談社.

214. 礫川全次 (2003). 男色の民俗学. 批評社.

215. Chenagtsang, N. (2018). *Karmamudra: The Yoga of Bliss.* SKY Press. エリコ･ロウ(訳)(2021).『カルマムードラ:至福のヨーガ —チベット医学･仏教におけるセクシャリティ』ナチュラルスピリット.

216. ツルティム･ケサン&正木晃 (2013). チベット密教図説マンダラ瞑想法. 増補版.ビイング･ネット･プレス.

217. 藤巻一保ほか (1999). 真言立川流：謎の邪教と鬼神ダキニ崇拝. 学研.

218. 真鍋俊照 (2002). 邪教･立川流. 筑摩書房.

219. 小山聡子 (2007). 寺院社会における僧侶と稚児：『往生要集』理解を中心として. 二松學舍大學論集, 50, 25-44.

220. 平松隆円 (2007). 日本仏教における僧と稚児の男色. 日本研究, 34, 89-130.

221. 白倉敬彦 (2005). 江戸の男色—上方･江戸の「売色風俗」の盛衰. 洋泉社.

170. Bäckström, L. & Henricson, B. (1971). Intersexuality in the Pig. *Acta Vet Scand,* 12(2), 257-273.

171. McIntyre, J. K. (2016). Intersex Pigs of Vanuatu. http://www.swprp.org/intersexual-pigs

172. Ten Cate, C. & Vos, D. R. (1999). Sexual imprinting and evolutionary processes in birds: A reassessment. *Adv Study Behav,* 28, 1–31.

173. Verzijden, M. N. et al. (2012). The impact of learning on sexual selection and speciation. *Trends Ecol Evol,* 27(9), 511-519.

174. Blum, D. (2002). *Love at Goon Park: Harry Harlow and the Science of Affection.* Basic Book. 藤澤隆史&藤澤玲子(訳)(2014).『愛を科学で測った男—異端の心理学者ハリー・ハーロウとサル実験の真実』白揚社.

175. Fischer, E. K. et al. (2019). The neural basis of tadpole transport in poison frogs. *Proc R Soc B Biol Sci,* 286(1907), 20191084.

176. Dulac, C. et al. (2014). Neural control of maternal and paternal behaviors. *Science,* 345(6198), 765-770.

177. Edwards, V. 13-Jan-(2021). "He's really stepped up to the plate": Denver zoo captures male orangutan's tenderness as he snuggles his two-year-old daughter after her mother died unexpectedly. *Mail Online.* https://www.dailymail.co.uk/news/article-9144159/Images-male-orangutan-caring-daughter-mother-died.html

178. Flanagan, P. 09-May-(2020). Daddy day care's not exactly a roaring success: Singa the lion struggles to look after his five unruly cubs while their mum recovers after being attacked by another lioness. *Mail Online.* https://www.dailymail.co.uk/news/article-8303789/Male-lion-struggles-look-cubs-mum-away.html

179. Rosenbaum, S. et al. (2018). Caring for infants is associated with increased reproductive success for male mountain gorillas. *Sci Rep,* 8(1), 15223.

180. Hamilton, W. D. & Zuk, M. (1982). Heritable true fitness and bright birds: A role for parasites? *Science,* 218(4570), 384-387.

181. Zuk, M. (2013). *Paleofantasy: What Evolution Really Tells Us about Sex, Diet, and How We Live.* W. W. Norton & Company. 渡会圭子(訳)(2015).『私たちは今でも進化しているのか?』文藝春秋.

182. Zuk, M. (2007). *Riddled with Life: Friendly Worms, Ladybug Sex, and the Parasites That Make Us Who We Are.* Houghton Mifflin Harcourt. 藤原多伽夫(訳)(2009).『考える寄生体—戦略・進化・選択』東洋書林.

183. Zuk, M. (2002). *Sexual Selections: What We Can and Can't Learn about Sex from Animals.* University of California Press. 佐藤恵子(訳)(2008).『性淘汰—ヒトは動物の性から何を学べるのか』白揚社.

184. Gossum, H. et al. (2005). Reversible switches between male-male and male-female mating behaviour by male damselflies. *Biol Lett,* 1(3), 268-70.

185. Perkins, A. & Roselli, C. E. (2007). The ram as a model for behavioral neuroendocrinology. *Horm Behav,* 52(1), 70-77.

186. Roselli, C. E. et al. (2011). The development of male-oriented behavior in rams. *Front Neuroendocrinol,* 32(2), 164-169.

187. Hunt, G. L. & Hunt, M. W. (1977). Female-female pairing in Western gulls (*Larus occidentalis*) in Southern California. *Science,* 196(4297), 1466-1467.

188. 上田恵介 (1987). 一夫一妻の神話—鳥の結婚社会学. 蒼樹書房.

189. Young, L. C. et al. (2008). Successful same-sex pairing in Laysan albatross. *Biol Lett,* 4(4), 323-325.

190. Young, L. C. & VanderWerf, E. A. (2013). Adaptive value of same-sex pairing in Laysan albatross. *Proc R Soc B Biol Sci,* 281(1775), 20132473-20132473.

148. Frankenscience. 04-Nov-(2020). Evolution of Sex Change in Fish. https://www.youtube.com/watch?v=WvKY2Vee3jk

149. 桑村哲生 (2004). 性転換する魚たち—サンゴ礁の海から. 岩波書店.

150. Kohda, M. et al. (2019). If a fish can pass the mark test, what are the implications for consciousness and self-awareness testing in animals? *PLOS Biol,* 17(2), e3000021.

151. Todd, E. V. et al. (2019). Stress, novel sex genes, and epigenetic reprogramming orchestrate socially controlled sex change. *Sci Adv,* 5(7), eaaw7006.

152. Casas, L. et al. (2022). Sex change from male to female: Active feminization of the brain, behavior and gonads in anemonefish. *Evolution, Development and Ecology of Anemonefishes* (pp. 117-128). CRC Press.

153. Dawkins, R. (1982). *The Extended Phenotype: The Gene As the Unit of Selection.* W H Freeman & Co. 日高敏隆ら(訳)(1987).『延長された表現型—自然淘汰の単位としての遺伝子』紀伊國屋書店.

154. John Downer Productions. 30-Apr-(2022). Young Male Bower Birds Pretend To Be Female To Steal From Robotic Spy Bird! https://www.youtube.com/watch?v=kUaB6OzAf4s

155. Carmona, F. D. et al. (2008). The evolution of female mole ovotestes evidences high plasticity of mammalian gonad development. *J Exp Zoolog B Mol Dev Evol,* 310B(3), 259-266.

156. M. Real, F. et al. (2020). The mole genome reveals regulatory rearrangements associated with adaptive intersexuality. *Science,* 370(6513), 208-214.

157. Rubenstein, N. et al. (2003). Variation in ovarian morphology in four species of New World moles with a peniform clitoris. *Reproduction,* 126(6), 713-719.

158. Sykes, B. (2004). *Adam's Curse: A Future Without Men.* W. W. Norton & Company. 大野晶子(訳)(2004).『アダムの呪い』ソニーマガジンズ.

159. Ridley, M. (1994). *The Red Queen: Sex and the Evolution of Human Nature.* Macmillan Pub. 長谷川真理子(訳)(1995).『赤の女王—性とヒトの進化』翔泳社.

160. Mawaribuchi, S. et al. (2023). Parallel evolution of sex-linked genes across XX/XY and ZZ/ZW sex chromosome systems in the frog *Glandirana rugosa. Genes,* 14(2), 257.

161. Terao, M. et al. (2022). Turnover of mammal sex chromosomes in the Sry-deficient Amami spiny rat is due to male-specific upregulation of *Sox9. Proc Natl Acad Sci,* 119(49), e2211574119.

162. Yashiro, T. et al. (2018). Loss of males from mixed-sex societies in termites. *BMC Biol,* 16(1), 96.

163. Gibbs, H. L. & Denton, R. D. (2016). Cryptic sex? Estimates of genome exchange in unisexual mole salamanders (*Ambystoma* sp.). *Mol Ecol,* 25(12), 2805-2815.

164. Mishina, T. et al. (2021). Interploidy gene flow involving the sexual-asexual cycle facilitates the diversification of gynogenetic triploid *Carassius* fish. *Sci Rep,* 11(1), 22485.

165. Mitchell, G. (1981). *Human Sex Differences: A Primatologist's Perspective.* Van Nostrand Reinhold Company. 鎮目恭夫(訳)(1983).『男と女の性差—サルと人間の比較』紀伊國屋書店.

166. Frank, L. G. (1997). Evolution of genital masculinization: Why do female hyaenas have such a large 'penis'? *Trends Ecol Evol,* 12(2), 58-62.

167. Murray, S. O. (2000). *Homosexualities.* 2nd ed.Univ of Chicago Pr.

168. Balzer, M. M. (1996). Sacred genders in Siberia: Shamans, bear festivals and androgyny. In Ramet, S. P. (Ed.), *Gender Reversals and Gender Cultures: Anthropological and Historical Perspectives.* (pp. 164-182). Routledge.

169. Douglass, K. et al. (2021). Late Pleistocene/Early Holocene sites in the montane forests of New Guinea yield early record of cassowary hunting and egg harvesting. *Proc Natl Acad Sci,* 118(40), e2100117118.

125. Kinsey, A. C. et al. (1948). *Sexual Behavior in the Human Male.* W.B. Saunders.

126. Nanda, S. (1999). *Gender Diversity: Crosscultural Variations.* Waveland Pr Inc.

127. Brown, W. M. et al. (2002). Differences in finger length ratios between self-identified "butch" and "femme" lesbians. *Arch Sex Behav,* 31(1), 123-127.

128. Pearcey, S. M. et al. (1996). Testosterone and sex role identification in lesbian couples. *Physiol Behav,* 60(3), 1033-1035.

129. Zheng, L. & Zheng, Y. (2013). Butch-femme identity and empathizing-systemizing cognitive traits in Chinese lesbians and bisexual women. *Personal Individ Differ,* 54(8), 951-956.

130. Manning, J. (2002). *Digit Ratio: A Pointer to Fertility, Behavior, and Health.* Rutgers University Press. 村田綾子（訳）『二本指の法則—あなたの健康状態からセックスまでを語る秘密の数字』早川書房.

131. Voracek, M. et al. (2011). Digit ratio (2D:4D) and sex-role orientation: Further evidence and meta-analysis. *Personal Individ Differ,* 51(4), 417-422.

132. Moskowitz, D. A. et al. (2022). Top, bottom, and versatile orientations among adolescent sexual minority men. *J Sex Res,* 59(5), 643-651.

133. Swift-Gallant, A. et al. (2019). Evidence for distinct biodevelopmental influences on male sexual orientation. *Proc Natl Acad Sci,* 116(26), 12787-12792.

134. Swift-Gallant, A. (2019). Individual differences in the biological basis of androphilia in mice and men. *Horm Behav,* 111, 23-30.

135. 長谷川真理子 (1993). オスとメス=性の不思議. 講談社.

136. Lamichhaney, S. et al. (2016). Structural genomic changes underlie alternative reproductive strategies in the ruff (*Philomachus pugnax*). *Nat Genet,* 48(1), 84-88.

137. Farrell, L. et al. (2013). Genetic mapping of the female mimic morph locus in the ruff. *BMC Genet,* 14, 109.

138. Sternalski, A. et al. (2011). Adaptive significance of permanent female mimicry in a bird of prey. *Biol Lett,* 8(2), 167-170.

139. Watts, P. C. et al. (2006). Parthenogenesis in Komodo dragons. *Nature,* 444(7122), 1021-1022.

140. Yam, P. 28-Dec-(2006). Strange but True: Komodo Dragons Show that "Virgin Births" Are Possible. *Scientific American.* https://www.scientificamerican.com/article/strange-but-true-komodo-d/

141. Chapman, D. et al. (2007). Virgin birth in a hammerhead shark. *Biol Lett,* 3, 425-427.

142. Straube, N. et al. (2016). First record of second-generation facultative parthenogenesis in a vertebrate species, the whitespotted bambooshark *Chiloscyllium plagiosum. J Fish Biol,* 88(2), 668-675.

143. Crews, D. et al. (1986). Behavioral facilitation of reproduction in sexual and unisexual whiptail lizards. *Proc Natl Acad Sci,* 83(24), 9547-9550.

144. Kimura, K. & Chiba, S. (2015). The direct cost of traumatic secretion transfer in hermaphroditic land snails: Individuals stabbed with a love dart decrease lifetime fecundity. *Proc R Soc B Biol Sci,* 282(1804), 20143063.

145. Nat Geo WILD 05-Jun-(2012). Flatworm Penis Fencing | World's Weirdest. https://www.youtube.com/watch?v=wn3xluIRh1Y

146. Michiels, N. K. & Newman, L. J. (1998). Sex and violence in hermaphrodites. *Nature,* 391(6668), 647.

147. BBC. 08-Oct-(2021). Meet the penis-fencing flatworm | The Mating Game - BBC. https://www.youtube.com/watch?v=VHOFQri1Tjw

100. Dreger, A. (2015). *Galileo's Middle Finger: Heretics, Activists, and the Search for Justice in Science.* Penguin Press. 鈴木光太郎(訳)(2022).『ガリレオの中指—科学的研究とポリティクスが衝突するとき』みすず書房.

101. Caplan, P. J. & Caplan, J. B. (2009). *Thinking Critically about Research on Sex and Gender.* 3rd Edition.Pearson Education, Inc. 森永康子(訳)(2010).『認知や行動に性差はあるのか』北大路書房.

102. Roughgarden, J. (2004). *Evolution's Rainbow: Diversity, Gender, and Sexuality in Nature and People.* Univ of California Pr.

103. Roughgarden, J. (2009). *The Genial Gene: Deconstructing Darwinian Selfishness.* Univ of California Pr.

104. Wilson, A. (2021). Gender before the gender turn. *Diacritics,* 49(1), 13-39.

105. Money, J. (1955). Hermaphroditism, gender and precocity in hyperadrenocorticism: psychologic findings. *Bull Johns Hopkins Hosp,* 96(6), 253-264.

106. 三橋順子 (2008). 女装と日本人. 講談社.

107. 三橋順子 (2022). 歴史の中の多様な「性」—日本とアジア 変幻するセクシュアリティ. 岩波書店.

108. Balthazart, J. (2020). Sexual partner preference in animals and humans. *Neurosci Biobehav Rev,* 115, 34-47.

109. Swaab, D. F. (2008). Sexual orientation and its basis in brain structure and function. *Proc Natl Acad Sci,* 105(30), 10273-10274.

110. Swaab, D. F. (2009). Sexual differentiation of the human brain in relation to gender identity and sexual orientation. *Funct Neurol,* 24(1), 17-28.

111. Swaab, D. F. & Hofman, M. A. (1990). An enlarged suprachiasmatic nucleus in homosexual men. *Brain Res,* 537(1-2), 141-148.

112. 坂口菊恵 (2016). 愛と分子 15 雌雄の分かれ道(下):異性を配偶相手とする仕組み. 現代化学, 540, 56-58.

113. Kruijver, F. P. M. et al. (2000). Male-to-female transsexuals have female neuron numbers in a limbic nucleus. *J Clin Endocrinol Metab,* 85(5), 2034-2041.

114. Zhou, J.-N. et al. (1995). A sex difference in the human brain and its relation to transsexuality. *Nature,* 378(6552), 68-70.

115. Chung, W. C. J. et al. (2002). Sexual differentiation of the bed nucleus of the stria terminalis in humans may extend into adulthood. *J Neurosci,* 22(3), 1027-1033.

116. Iijima, M. et al. (2001). Sex differences in children's free drawings: A study on girls with congenital adrenal hyperplasia. *Horm Behav,* 40(2), 99-104.

117. Bailey, J. M. & Zucker, K. J. (1995). Childhood sex-typed behavior and sexual orientation: A conceptual analysis and quantitative review. *Dev Psychol,* 31(1), 43-55.

118. Garcia-Falgueras, A. & Swaab, D. F. (2008). A sex difference in the hypothalamic uncinate nucleus: Relationship to gender identity. *Brain,* 131(12), 3132-3146.

119. 坂口菊恵 (2017).「認知の性差」議論の複雑な事情. 心理学評論, 60(1), 105-110.

120. Safron, A. et al. (2017). Neural correlates of sexual orientation in heterosexual, bisexual, and homosexual men. *Sci Rep,* 7(1), 41314.

121. Luders, E. et al. (2012). Increased cortical thickness in male-to-female transsexualism. *J Behav Brain Sci,* 2, 357-362.

122. Colapinto, J. (2000). *As Nature Made Him: The Boy Who was Raised as a Girl.* HarperCollins Publishers. 村井智之(訳)(2000).『ブレンダと呼ばれた少年—ジョンズ・ホプキンズ病院で何が起きたのか』無名舎.

123. 坂口菊恵 (2011). ひとのあり方は男か女かで説明できるか. 集英社 *Kotoba,* 6, 70-73.

124. Kinsey, A. C. et al. (1953). *Sexual Behavior in the Human Female.* W. B. Saunders.

75. Buss, D. M. & Malamuth, N. M. (1996). *Sex, Power, Conflict: Evolutionary and Feminist Perspectives.* Oxford Univ Pr.
76. Bailey, J. M. et al. (2000). Genetic and environmental influences on sexual orientation and its correlates in an Australian twin sample. *J Pers Soc Psychol,* 78(3), 524-536.
77. Hamer, D. H. et al. (1993). A linkage between DNA markers on the X chromosome and male sexual orientation. *Science,* 261(5119), 321-327.
78. Kirkpatrick, R. C. (2000). The evolution of human homosexual behavior. *Curr Anthropol,* 41(3), 385-413.
79. Vasey, P. L. et al. (2007). Kin selection and male androphilia in Samoan fa'afafine. *Evol Hum Behav,* 28(3), 159-167.
80. Nila, S. et al. (2018). Kin selection and male homosexual preference in Indonesia. *Arch Sex Behav,* 47(8), 2455-2465.
81. Rahman, Q. & Hull, M. S. (2005). An empirical test of the kin selection hypothesis for male homosexuality. *Arch Sex Behav,* 34(4), 461-467.
82. Bobrow, D. & Bailey, J. M. (2001). Is male homosexuality maintained via kin selection? *Evol Hum Behav,* 22(5), 361-368.
83. Rahman, Q. et al. (2007). Maternal inheritance and familial fecundity factors in male homosexuality. *Arch Sex Behav,* 37(6), 962-969.
84. Muscarella, F. (2007). The evolution of male-male sexual behavior in humans: The alliance theory. *J Psychol Hum Sex,* 18(4), 275-311.
85. Ganna, A. et al. (2019). Large-scale GWAS reveals insights into the genetic architecture of same-sex sexual behavior. *Science,* 365(6456), eaat7693.
86. Manolio, T. A. et al. (2009). Finding the missing heritability of complex diseases. *Nature,* 461(7265), 747-753.
87. Blum, K. et al. (1990). Allelic association of human dopamine D2 receptor gene in alcoholism. *JAMA,* 263(15), 2055-2060.
88. Ebstein, R. P. et al. (1996). Dopamine D4 receptor (D4DR) exon III polymorphism associated with the human personality trait of Novelty Seeking. *Nat Genet,* 12(1), 78-80.
89. 小出剛 & 山元大輔 (2011). 行動遺伝学入門―動物とヒトの"こころ"の科学. 裳華房.
90. Hamer, D. H. (1999). Genetics and male sexual orientation. *Science,* 285(5429), 803-803.
91. Sanders, A. R. et al. (2015). Genome-wide scan demonstrates significant linkage for male sexual orientation. *Psychol Med,* 45(07), 1379-1388.
92. 安藤寿康 (2000). 心はどのように遺伝するか―双生児が語る新しい遺伝観. 講談社.
93. 安藤寿康 (2014). 遺伝と環境の心理学―人間行動遺伝学入門. 培風館.
94. Diamond, L. M. (2021). The new genetic evidence on same-gender sexuality: Implications for sexual fluidity and multiple forms of sexual diversity. *J Sex Res,* 58(7), 818-837.
95. 坂口菊恵 (2016). LGBTの生物学的基盤. 精神科治療学「精神科治療学」編集委員会 編, 31(8), 1003-1008.
96. 日経サイエンス編集部 (2018). 性とジェンダー. 日経サイエンス.
97. 坂口菊恵 (2023). 人間の性行動における生物学的基盤. 脳とホルモンの行動学 わかりやすい行動神経内分泌学 第2版 (pp. 278-288). 西村書店.
98. John, L. K. et al. (2012). Measuring the prevalence of questionable research practices with incentives for truth telling. *Psychol Sci,* 23(5), 524-532.
99. Saini, A. (2017). *Inferior: How Science Got Women Wrong-and the New Research That's Rewriting the Story.* Beacon Press. 東郷えりか(訳)(2019).『科学の女性差別とたたかう: 脳科学から人類の進化史まで』作品社.

48. Beach Jr., F. A. (1938). Sex reversals in the mating pattern of the rat. *Pedagog Semin J Genet Psychol,* 53, 329-334.

49. Darwin, C. (1872). *The Expression of the Emotions in Man and Animals.* John Murray. 浜中浜太郎(訳)(1931).『人及び動物の表情について』岩波書店.

50. Desmond, A. & Moore, J. (2009). *Darwin's Sacred Cause: How a Hatred of Slavery Shaped Darwin's Views on Human Evolution.* Houghton Mifflin Harcourt.

51. プラトン(著) 藤沢令夫(訳)(1979). 国家〈上〉. 岩波書店.

52. プラトン(著) 藤沢令夫(訳)(1979). 国家〈下〉. 岩波書店.

53. Galton, F. (1869). *Hereditary Genius.* Macmillan and Company.

54. Galton, F. (1874). *English Men of Science: Their Nature and Nurture.* Macmillan.

55. 立木教夫 (1994). 生命科学の進歩と優生思想の変遷―ダニエル・J・ケヴルズ著『優生学の名のもとに』を中心として―. モラロジー研究, 39, 75-112.

56. Kevles, D. J. (1985). *In the Name of Eugenics: Genetics and the Uses of Human Heredity.* Knopf. 西俣総平(訳)(1993).『優生学の名のもとに―「人類改良」の悪夢の百年』朝日新聞社.

57. Stone, L. (1988). Passionate attachments in the West in historical perspective. In Gaylin, W. and Person, E. (Eds.), *Passionate Attachments: Thinking about Love* (pp. 15-27). The Free Press.

58. Dawkins, R. (1976). *The Selfish Gene.* Oxford University Press. 日高敏隆ら(訳)(1991).『利己的な遺伝子』紀伊國屋書店.

59. Barkow, J. H. et al. (1992). *The Adapted Mind: Evolutionary Psychology and the Generation of Culture.* Oxford Univ Pr.

60. Hamilton, W. D. (1964). The genetical evolution of social behaviour. I. *J Theor Biol,* 7(1), 1-16.

61. Hamilton, W. D. (1964). The genetical evolution of social behaviour. II. *J Theor Biol,* 7(1), 17-52.

62. Trivers, R. L. (1972). Parental investment and sexual selection. In Campbell, B. (Ed.), *Sexual Selection and the Descent of Man, 1871-1971* (pp. 139-179). Aldine de Gruyter.

63. Trivers, R. (1985). *Social Evolution.* Benjamin-Cummings Pub Co. 中嶋康裕ら(訳)(1991).『生物の社会進化』産業図書.

64. Bateman, A. (1948). Intra-sexual selection in *Drosophila. Heredity,* 2(3), 349-368.

65. Gowaty, P. A. et al. (2012). No evidence of sexual selection in a repetition of Bateman's classic study of *Drosophila melanogaster. Proc Natl Acad Sci,* 109(29), 11740-11745.

66. Hoquet, T. (2020). Bateman (1948): Rise and fall of a paradigm? *Anim Behav,* 164, 223-231.

67. Brown, D. E. (1991). *Human Universals.* McGraw-Hill. 鈴木光太郎ほか(訳)(2002).『ヒューマン・ユニヴァーサルズ―文化相対主義から普遍性の認識へ』新曜社.

68. Westermarck, E. (1891). *The History of Human Marriage.* Macmillan and Co.

69. Lieberman, D. et al. (2007). The architecture of human kin detection. *Nature,* 445(7129), 727-731.

70. Symons, D. (1979). *The Evolution of Human Sexuality.* Oxford University Press.

71. Buss D. M. (1994). *The Evolution of Desire: Strategies of Human Mating.* BasicBooks. 狩野秀之(訳)(2000).『女と男のだましあい:ヒトの性行動の進化』草思社.

72. Buss, D. M. & Schmitt, D. P. (1993). Sexual Strategies Theory: An evolutionary perspective on human mating. *Psychol Rev,* 100(2), 204-232.

73. Schmitt, D. P. (2005). Sociosexuality from Argentina to Zimbabwe: A 48-nation study of sex, culture, and strategies of human mating. *Behav Brain Sci,* 28(2), 247-275.

74. 坂口菊恵 (2009). ナンパを科学する. 東京書籍.

25. Diamond, L. M. (2003). What does sexual orientation orient? A biobehavioral model distinguishing romantic love and sexual desire. *Psychol Rev,* 110(1), 173-192.

26. Furuichi, T. et al. (2013). Non-conceptive Sexual Interactions in Monkeys, Apes, and Dolphins. In Yamagiwa, J. and Karczmarski, L. (Eds.), *Primates and Cetaceans: Field Research and Conservation of Complex Mammalian Societies* (pp. 385-408). Springer.

27. Boswell, J. (1980). *Christianity, Social Tolerance, and Homosexuality: Gay People in Western Europe from the Beginning of the Christian Era to the 14th Century.* Univ of Chicago Pr. 大越愛子&下田立行(訳)(1990).『キリスト教と同性愛: 1～14世紀西欧のゲイ・ピープル』国文社.

28. Pääbo, S. (2014). *Neanderthal Man: In Search of Lost Genomes.* Basic Books. 野中香方子(訳)(2015).『ネアンデルタール人は私たちと交配した』文藝春秋.

29. Gunst, N. et al. (2018). Deer mates: A quantitative study of heterospecific sexual behaviors performed by Japanese macaques toward sika deer. *Arch Sex Behav,* 47(4), 847-856.

30. Zachos E. (2017 Dec). 大阪のサルがシカにまたがり「性行為」、研究成果. https://natgeo.nikkeibp.co.jp/atcl/news/16/b/121900137.

31. Perkins, K. 04-Jan-(2023). Walrus Is Spotted Masturbating, Leaving The Crowd Stunned. *The Hook.* https://thehooksite.com/walrus-is-spotted-masturbating-leaving-the-crowd-stunned/

32. LeVay, S. (1991). A difference in hypothalamic structure between heterosexual and homosexual men. *Science,* 253(5023), 1034-1037.

33. LeVay, S. (1996). *Queer Science: The Use and Abuse of Research into Homosexuality.* The MIT Press. 伏見憲明(監修)(2002).『クィア・サイエンス―同性愛をめぐる科学言説の変遷』勁草書房.

34. 三成美保 (2015). 同性愛をめぐる歴史と法―尊厳としてのセクシュアリティ. 明石書店.

35. プラトン&鈴木照雄(訳) (1966). 饗宴. 世界の名著 第6 (pp. 97-188). 中央公論社.

36. Ulrichs, K. H. (2020). *The Riddle of LGBT Sexual Love: Twelve Gender Studies.* Urania Manuscripts.

37. Meyerowitz, J. (2002). *How Sex Changed: A History of Transsexuality in the United States.* Harvard University Press.

38. Karsch, F. (1900). Päderastie und Tribadie bei den Tieren auf Grund der Literatur. In M. Hirschfeld (Ed.). *Jahrbuch für sexuelle Zwischenstufen, Vol. II.* (pp. 126-160). Spohr. Lombardi-Nash, M. (Trans.) (2021). *Male and Female Homosexuality in Animals on the basis of Literature.* Urania Manuscripts.

39. Westermarck, E. (1906). *The Origin and Development of the Moral Ideas.* Macmillan.

40. Richardson, S. S. (2013). *Sex Itself: The Search for Male and Female in Human Genome.* Univ of Chicago Pr. 渡部麻衣子(訳)(2018).『性そのもの ヒトゲノムの中の男性と女性の探求(叢書・ウニベルシタス 1084)』法政大学出版局.

41. Darwin, C. (1859). *The Origin of Species.* John Murray, 渡辺政隆(訳)(2009).『種の起源〈上〉〈下〉』光文社.

42. Epstein, R. H. (2018). *Aroused: The History of Hormones and How They Control Just About Everything.* W. W. Norton & Company Inc. 坪井貴司(訳)(2022).『魅惑の生体物質をめぐる光と影 ホルモン全史』化学同人.

43. Darwin, C. (1871). *The Descent of Man, and Selection in Relation to Sex.* John Murray. 長谷川眞理子(訳)(2016).『人間の由来(上)(下)』講談社.

44. Brooks, R. (2021). Darwin's closet: The queer sides of the descent of man (1871). *Zool J Linn Soc,* 191(2), 323-346.

45. Stevens, N. M. (1905). *Studies in Spermatogenesis.* Carnegie institution of Washington.

46. Abbott, J. K. et al. (2017). Sex chromosome evolution: historical insights and future perspectives. *Proc R Soc B Biol Sci,* 284(1854), 20162806.

47. Beach, F. A. (1975). Hormonal modification of sexually dimorphic behavior. *Psychoneuroendocrinology,* 1(1), 3-23.

引用文献

1. 古市剛史 (1999). 性の進化、ヒトの進化―類人猿ボノボの観察から. 朝日新聞社.
2. Sommer, V. & Vasey, P. L. (2006). *Homosexual Behaviour in Animals: An Evolutionary Perspective.* Cambridge University Press.
3. 立花隆 (1991). サル学の現在. 平凡社.
4. Bagemihl, B. (1999). *Biological Exuberance: Animal Homosexuality and Natural Diversity.* St. Martin's Press.
5. Bailey, N. W. & Zuk, M. (2009). Same-sex sexual behavior and evolution. *Trends Ecol Evol,* 24(8), 439-446.
6. Monk, J. D. et al. (2019). An alternative hypothesis for the evolution of same-sex sexual behaviour in animals. *Nat Ecol Evol,* 3(12), 1622-1631.
7. Pfau, D. et al. (2021). The de-scent of sexuality: Did loss of a pheromone signaling protein permit the evolution of same-sex sexual behavior in primates? *Arch Sex Behav,* 50(6), 2267-2276.
8. Poiani, A. (2010). *Animal Homosexuality: A Biosocial Perspective.* Cambridge University Press.
9. 坂口菊恵 (2021). 結婚する. In 小田亮 et al. (Eds.), 進化でわかる人間行動の事典 (pp. 100-106). 朝倉書店.
10. Richardson, J. & Parnell, P. (2005). *And Tango Makes Three.* Simon & Schuster Books for Young Readers. 尾辻かな子&前田和男（訳）(2008). 『タンタンタンゴはパパふたり』ポット出版.
11. Lorenz K. Z. (1988). *Hier bin ich - wo bist du? : Ethologie der Graugans.* Piper. 大川けい子（訳）(1996). 『ハイイロガンの動物行動学』平凡社.
12. 長谷川寿一 et al. (2022). 進化と人間行動 第2版. 東京大学出版会.
13. Weiner, J. (1994). *The Beak of the Finch: A Story of Evolution in Our Time.* Knopf. 樋口広芳&黒沢令子（訳）(1995). 『フィンチの嘴：ガラパゴスで起きている種の変貌』早川書房.
14. Berger, J. (1985). Instances of female-like behaviour in a male ungulate. *Animal Behaviour,* 33(1), 333-335.
15. De Waal, F. B. M. & Lanting, F. (1997). *Bonobo: The Forgotten Ape.* Univ of California Pr.
16. Cooke, L. (2022). *Bitch: On the Female of the Species.* Hachette UK.
17. Parish, A. R. et al. (2006). The other "closest living relative": How bonobos (*Pan paniscus*) challenge traditional assumptions about females, dominance, intra- and intersexual interactions, and hominid evolution. *Ann N Y Acad Sci,* 907(1), 97-113.
18. Tokuyama, N. & Furuichi, T. (2016). Do friends help each other? Patterns of female coalition formation in wild bonobos at Wamba. *Anim Behav,* 119, 27-35.
19. Moss, C. J. (1983). Oestrous behaviour and female choice in the African elephant. *Behaviour,* 86(3/4), 167-196.
20. O'Connell, C. (2015). *Elephant Don: The Politics of a Pachyderm Posse.* Univ of Chicago Pr.
21. Lukas, D. & Clutton-Brock, T. H. (2013). The evolution of social monogamy in mammals. *Science,* 341(6145), 526-530.
22. Opie, C. et al. (2013). Male infanticide leads to social monogamy in primates. *Proc Natl Acad Sci,* 110(33), 13328-13332.
23. Kauth, M. R. (2020). *The Evolution of Human Pair-Bonding, Friendship, and Sexual Attraction: Love Bonds.* Routledge.
24. Moscovice, L. R. et al. (2019). The cooperative sex: Sexual interactions among female bonobos are linked to increases in oxytocin, proximity and coalitions. *Horm Behav,* 116, 104581.

坂口菊恵（さかぐち・きくえ）

1973年、函館生まれ。函館中部高校卒業後、自宅での浪人生活を経て二十歳で家出、上京。数年のフリーター生活後、東京大学文科Ⅲ類に入学し、東京大学総合文化研究科広域科学専攻で博士（学術）を取得。東京大学教養教育高度化機構での特任教員を経て、現在は大学改革支援・学位授与機構研究開発部教授。専門は進化心理学、内分泌行動学、教育工学。著書に『ナンパを科学する（東京書籍）』『科学の技法：東京大学「初年次ゼミナール理科」テキスト（東京大学出版会、共編著）』『脳とホルモンの行動学：わかりやすい行動神経内分泌学（西村書店、分担執筆）』など。

進化《しんか》が同性愛《どうせいあい》を用意《ようい》した
ジェンダーの生物学《せいぶつがく》

発行日　二〇二三年六月三〇日　第一版第一刷発行

著　者　坂口菊恵
発行者　矢部敬一
発行所　株式会社 創元社
〈本　社〉〒五四一―〇〇四七
大阪市中央区淡路町四―三―六
電話（〇六）六二三一―九〇一〇㈹
〈東京支店〉〒一〇一―〇〇五一
東京都千代田区神田神保町一―二田辺ビル
電話（〇三）六八一一―〇六六二㈹
〈ホームページ〉https://www.sogensha.co.jp/

印　刷　太洋社
企画・編集　佐藤 喬
装画　浜野令子
ブックデザイン　坂川朱音（朱猫堂）
DTP　一條麻耶子
校　正　あかえんぴつ

ISBN978-4-422-43046-1 C0045